Vrolijk besparen

DOE HET ZELF MET HET HELE GEZIN

Dit is een uitgave van
Forte Uitgevers BV
Postbus 684
3740 AP Baarn

Redactie: Irene de Vette, Rotterdam
Fotografie: Marieke Henselmans (behalve foto's op blz. 147: Joep Henselmans)
Illustraties (inclusief omslagilllustratie) en foto auteur: Gijs Henselmans, Badhoevedorp
Omslagontwerp: b'IJ Barbara, Amsterdam
Ontwerp en opmaak binnenwerk: ANIMA MIA, Rotterdam

ISBN 978 90 5877 948 9
NUR 450

Noot van de uitgever

De meningen en adviezen die in dit boek worden gegeven zijn bedoeld als richtlijnen. De uitgever, de auteurs en anderen die een bijdrage hebben geleverd zijn niet aansprakelijk voor schade als gevolg van het gebruik van dit boek.

Auteur en uitgever zijn geen professionele beleggings-, financiële, fiscale, economische, juridische of verzekeringsadviseurs. Vraag advies aan (liefst meerdere) erkende en betrouwbare deskundigen. Voor meer informatie over de boeken van Forte Uitgevers: www.forteuitgevers.nl

Heb je aanvullingen of vragen? Stuur een e-mail naar de auteur via de website www.Mariekehenselmans.nl of direct naar marieke@AD.nl. Je krijgt altijd snel antwoord.

Marieke Henselmans

Vrolijk besparen

DOE HET ZELF MET
HET HELE GEZIN

Forte

INHOUD

Dank aan mijn Henselmannen: Kees, Joep, Daan en Gijs. Zonder hen geen gezin, geen vrolijk huis, geen eerste boek (Consuminderen met kinderen, 1999), geen volgende boeken inclusief dit boek over vrolijk besparen. Dank voor de correcties, humor, foto's, illustraties en alles :-)

INLEIDING

Als het nou ooit nuttig en nodig is, om je eigen vaardigheid om meer te doen met minder geld wat op te waarderen, is het nu. Misschien heb je al last van de crisis, misschien wil je je voorbereiden, of je wilt wat meer overhouden voor leuke dingen; de reden maakt niet uit.

Eigenwijs omgaan met geld begint met stilstaan bij je eigen wensen. Veel mensen zouden hun leven eigenlijk iets anders willen inrichten. Ze willen meer geld en meer tijd. Ze hebben het vaak te druk, in deze oververhitte samenleving waar iedereen lijkt te moeten streven naar méér. Méér informatie, spullen, werk, keuzes en geluk. Meer, meer, meer en druk, druk, druk blijken ons niet gelukkig te maken. Integendeel. Mensen verzuipen in de informatie en worden steeds ingenieuzer bespeeld door reclame. Het bedrijfsleven onderzoekt nu al de hersenen van proefpersonen, om te zien welke reclameboodschappen ons het meest effectief verleiden. Te veel eten zorgt voor ongezond overgewicht. We hebben te veel spullen. In Amerika, waar alles tien jaar eerder gebeurt, is het verhuren van opslagruimte een snelgroeiende business. De berg overbodige spullen past niet meer op zolder en moet duur worden opgeslagen. Of weggegooid. Er blijft te weinig tijd of energie over voor huishouden, gezin en opvoeding. Steeds meer mensen raken overwerkt. We hebben zoveel opties, bijvoorbeeld bij het kiezen van een zorgverzekering of internetprovider, dat we vol stress door de bomen het bos niet meer zien. Het enige wat we zeker weten is dat elke keuze binnen een mum van tijd achterhaald, te duur en te onhandig is.

Het kan echt anders, rustiger, beter en voordeliger. Doe veel meer dingen, die je nu nog duur uitbesteedt, zelf. 'Maar, help, daar heb ik dus geen tijd voor!' roept de overbelaste zenuwpees dan vaak (bijvoorbeeld op de lezingen waar ik een warm pleidooi houd voor vrolijk besparen). De kwestie is eigenlijk: heb je er geen tijd voor, of geef je het geen prioriteit? We hebben allemaal evenveel tijd, namelijk 24 uur per dag. Je kiest zelf waar je die aan besteedt. Heb je geld nodig, dan verkoop je een deel van je tijd aan je baas: jouw tijd en energie ruil je in voor salaris. Als je nu door besparingen toe te passen en door dingen zelf te doen veel minder geld nodig hebt, kun je minder werken. Wat je dan overhoudt, is juist méér tijd en energie. Je hebt minder geld nodig, maar daarmee koop je je eigen tijd van leven terug. Waarmee je vrolijk nog meer geldbesparende en leuke dingen kunt doen.

Kom, loop met me mee, naar de werkkamer. Meer mogelijkheden hebben met je eigen geld begint met overzicht krijgen. Met behulp van dat overzicht maak je eigen keuzes.
Maar als je eerst wilt rondkijken in de tuin of de keuken mag dat ook, hoor. Voel je thuis in het 'Vrolijk besparen-huis'.

Maart 2012, Marieke Henselmans

HOOFDSTUK 1: WERKKAMER

Dacht je gezellig op bezoek te komen in mijn bespaarhuis, moet je meteen naar de werkkamer. De werkkamer is het zenuwcentrum, de controlekamer, de plek waar je aan je bureau, achter je computer of blocnote plannetjes maakt. Is er geen andere route, denk je misschien. Want je vindt geldzaken niet leuk? Daar ga je misschien wel anders over denken.

1.1 Geldzaken niet leuk?

Een van onze zoons had als kleuter een enorme hekel aan zwemles. Hij was een gevoelige jongen die het hoofd nauwelijks boven water kon houden in dat chaotische lawaaiige zwembad. De les vond plaats in het ondiepe bad, waar de kleuters in een grote meute van links naar rechts moesten zwemmen. Onze zoon leerde niet zwemmen, maar bekwaamde zich in het onzichtbaar zijn. Het leek of hij zwom, maar hij liep over de bodem, zwembewegingen makend, zenuwachtig tussen het gespet en gekrakeel. Zijn grote angst was dat de badmeester hem persoonlijk wat zou komen leren. Zijn onzichtbaarheidstechniek was zo verfijnd dat hij ermee weg kwam: maandenlang viel het niet op. Er moest dus iets gebeuren.

In een naburig bad waren privélessen. Het bad was dieper, kleuters konden er niet in staan. Op weg naar de les probeerde zoon het tij nog te keren. Waarom toch die les? Hij vond zwemmen nu eenmaal niet leuk, en wat als de juf niet aardig was?

Hij kreeg een beloning in het vooruitzicht, een autootje of iets dergelijks. Onder geruststellend gepraat en met rustige instructies moest hij er nu dan toch echt aan geloven. Hij spartelde zó panisch dat hij geen centimeter vooruit kwam terwijl hij de kant probeerde te bereiken. Ik ben maar even een ommetje gaan maken. Toen ik na een kwartier terugkwam dacht ik dat de volgende leerling aan de beurt was. Ik zag een kleuter die met lange stevige slagen kleine baantjes zwom. Met een tevreden grijns op zijn gezicht: onze zoon! 'Kijk, makkie!' hijgde hij, en: 'Mag ik nog een keer springen?'

Hij wilde nauwelijks meekomen, liet zich tevreden afdrogen en vroeg wanneer hij weer mocht. Het autootje vergat hij, dat hij kon zwemmen was de beloning. Ik snapte in één donderslag dat je dingen pas leuk gaat vinden als je ze kunt. Dingen die je (nog) niet kunt, daar hou je toevallig niet van. Er is niets gaver dan ergens de slag van te pakken krijgen. Zo is het ook met geldzaken. Ik wil best geloven dat je die toevallig niet leuk vindt, en dat je nu eenmaal meer houdt van je andere hobby's. Maar echt, echt, echt: als je de slag te pakken hebt, snap je niet waarom je er tegenop zag. Je ontzegt jezelf een boel plezier door erin te berusten dat je een financiële nitwit bent. Zo iemand waar elke commerciële knakker wel een pootje uit kan draaien. Goed omgaan met geld is leuk. Geld overhouden door je eigen handigheid is nog leuker. Kijk ook nog even naar deze jongen die de slag te pakken heeft.

www.youtube.com/watch?v=eaIvk1cSyG8

1.2 Overzicht

Zet dus allereerst het idee van je af dat geldzaken vervelend en moeilijk zijn. Zelf begon ik zo'n dertig jaar geleden met werken en studeren in de gezondheidszorg. Door de wisselende diensten verdiende je de ene maand nog minder dan de andere. Als het salaris uitbetaald was maakte ik een plannetje voor de komende maand. Hiernaast zie je hoe die overzichtjes eruitzagen. De bedragen zijn in guldens. Achter de bedragen staat hoe er betaald was: met kascheque (kc), overschrijving (ov) of girobetaalkaart (gb). Zo werd duidelijk hoeveel er naar mijn spaarrekening kon (eigen bank) en hoeveel er apart werd gezet voor de auto. Want ik had geen luis om dood te drukken, maar wél een auto. Als de ene barrel het begaf stond het geld voor de volgende al klaar.

Overzicht houden is niet moeilijker dan dit. Toegegeven: de lijstjes zijn inmiddels wat langer geworden dan 30 jaar geleden. Het kan zijn dat er naast het inkomen huur- en zorgtoeslag binnenkomt. Ook heb je tegenwoordig vast meer verschillende uitgaven. Maar het idee blijft overeind. Gewoon zien wat er inkomt.

Voor de Maand	nov. 80.	
Saldo nu:	1616	
nog af:	51	
Over:	1565	
Huur:	378	ov
Leven:	400 (+60)	
Boeken:	150	gb
Benzine:	75	kc
bank auto	155	ov
eigen bank	200	kc
Tel + elektra	45+30	ov
tafel	120	kc
Reserve:	80	

Voor de maand	oktober	
Saldo nu:	1410	
nog af:	65	
over:	1345	
Huur	378	ov
Leven	400	kc
Boeken	100	gb
Benzine	75	gb
Bank auto	55	ov
Eigen bank	100	kc
gas + lamertje	70 + 65	kc
hoogtezon	85	gb
Reserve	15	

Aftrekken wat er betaald IS (bijvoorbeeld met creditcards) en wat nog betaald MOET. Dan kijken wat je overhoudt of tekort komt. Je kunt wel van alles door een boekhouder of digitaal huishoudboekje in grafieken of taartpunten laten zetten, maar of daarmee alles duidelijker wordt is nog maar de vraag. Dit zelfgemaakte overzicht is het fundament waarop de hele geldhuishouding rust. Probeer dit in te vullen:

INKOMEN	€	VASTE LASTEN	€	KEUZE-KOSTEN	€
Salaris 1		Huur- of hypotheek		Snoep	
Salaris 2		Servicekosten		Kleding	
Kinderopvangtoeslag		Energie		Uitgaan	
Belastingteruggave		Kabel		Boeken	
Huurtoeslag		Telefoon vast		Vakantie	
Zorgtoeslag		Telefoon mobiel		Verzorging	
Alimentatie		Belasting		Cadeaus	
Rente		Verzekeringen		Goede doelen	
Onkostenvergoeding		Auto/vervoerskosten		Abonnementen	
....		Gemeentelijke Heffingen		Alcohol, roken	
....		Voeding		Tuin	
....		....		Hobby	
Totaal		Totaal		Totaal	

Sinds kort kun je je pinbetalingen en contante uitgaven ook bijhouden met behulp van een app: EyeWally. Echt leuk, makkelijk en gratis!

1.3 Inkomen: krijg je wel wat je verdient?

Misschien loop je vergoedingen mis waar je wél recht op hebt. De huur- en zorgtoeslag kennen we wel, en aftrek van hypotheekrente ook. Maar er zijn minder bekende toeslagen, subsidies, kwijtscheldingen en teruggaven. Bij de regelingen voor huishoudens met de laagste inkomens maakte 45 procent geen gebruik van de kwijtschelding van lokale heffingen, 68 procent vroeg geen aanvullende bijstand aan (bij een laag loon of pensioen) en 54 procent liet de langdurigheidstoeslag onbenut. Ongelooflijk toch? Mensen halen het geld waar ze recht op hebben niet op. Het ligt te roesten bij de gemeenten of de belastingdienst.

www.rechtopgeld.nl

Zoek uit of je geld laat liggen via www.rechtopgeld.nl. Na het (anoniem) beantwoorden van een paar vragen krijg je een compleet lijstje met toeslagen, vergoedingen, aftrekposten en andere aanvullingen op het inkomen waarop jij persoonlijk mogelijk recht hebt. Je kunt meteen doorklikken naar de instanties waar je een aanvraag kunt indienen. Ook krijg je, afhankelijk van je woonplaats, tips over lokale voordeeltjes zoals een kortingspas.

Al die cijfers! Krijg je de zenuwen in de werkkamer? Loop dan even het hoofdstuk van de tuin in, of het balkon op en kom later terug.

'Vaste lasten moeten nu eenmaal betaald worden. Je kunt er niet onderuit, want ze zijn vast en zeker'. Nou, dat klopt dus niet. Je kunt eigenlijk beter spreken van 'contractlasten'. De kosten zijn in zekere zin vast
omdat je met een handtekening hebt bevestigd dat je ze maandelijks
gaat betalen. Huur ligt vast in een huurovereenkomst, er zijn contracten met banken en verzekeraars. Je bent lid van verenigingen en abon-
nee van kranten en tijdschriften. De kosten zijn vast voor zolang het
contract duurt. Contracten zijn op te zeggen als je de opzegtermijn in
acht neemt. Veel verzekeringen zijn niet erg nuttig. Dat betekent dus
dat er misschien best op te besparen valt. Denk niet dat dit soort stappen noodzakelijk zijn, je maakt altijd je eigen keuzes.

www.geldenrecht.nl/
artikel/2010-03-23/
makkelijk-besparen-
met-uw-eigen-systeem

Verzekeringen

Verzekeraars spelen vooral in op onze angst. We voelen ons wat ze-
kerder als we Goed Verzekerd zijn. Maar duur is niet altijd beter. Af-
gelopen jaar bleek uit onderzoek van www.verzekeringssite.nl
bijvoorbeeld dat goedkope autoverzekeringen gemiddeld betere voorwaarden hebben dan dure. Zelf ben ik meteen van autoverzekering veranderd,
waarmee de premie gehalveerd werd. Kijk ook of je een doorlopende reis-

verzekering hebt. Die is vaak goedkoper dan een kortlopende verzekering. Kleine risico's en losse artikelen (zoals bril, stofzuiger, contactlenzen en computer) kun je beter niet verzekeren. Je hebt vaak garantie op dergelijke spullen, bewaar bonnen en garantiebewijzen dus goed. 'Verlengde garantie' is vaak duur en onnodig. Volgens de wet heb je standaard recht op een redelijke garantie (in principe twee jaar). Spaar gewoon voor dit soort risico's, en maak je eigen schadefonds. Wees zelfverzekerd, niet oververzekerd.

Zorgverzekering

Het voordeligst is het om te kiezen voor een 'restitutiepolis' en dan alleen voor de basisverzekering (dus geen aanvullende verzekering) en een hoog eigen risico. Als je geen hoge kosten verwacht en een buffertje hebt om het eigen risico op te vangen, is dat een goede keus. In het voordeligste geval betaal je rond de 72 euro per maand (in 2012) voor het basispakket met een totaal eigen risico van 720 euro per jaar. Soms kost een aanvullende verzekering (bijvoorbeeld voor de tandarts) méér dan ze maximaal uitkeren.

Clubs en abonnementen

Een nieuw lidmaatschap of abonnementen sluit je vaak af voor 1 of maximaal 2 jaar. Volgens een nieuwe wet mag het contract daarna niet meer stilzwijgend worden verlengd, maar heb je een maand opzegtermijn. Noteer het aflopen van de contractperiode in je agenda. Je kunt daarna als je wilt zonder probleem opzeggen. Heb je veel abonnementen en verdwijnen de bladen ongelezen bij het oud papier? Zeg alles op, en kijk daarna wat je echt mist. Berucht zijn ook de sportschoolabonnementen. Ga je niet meer? Zeg ze op en ga lekker hardlopen. Op www.consuwijzer.nl/voorbeeldbrieven zijn voorbeeldopzegbrieven te downloaden.

Energie, kabel en telefoon

Overstappen of niet, *that's the question*. Veel mensen zien op tegen gedoe en laten het afhangen van de besparing. Soms zit je bij de duurste leverancier tegen de meest ongunstige voorwaarden. Mijn tip is: kies je eigen moment om over te stappen. Bekijk bijvoorbeeld één keer per jaar al je contracten. Dan kun je het de rest van het jaar zonder vervelend gevoel laten rusten. Soms valt er enorm te besparen, maar je wilt wel zeker weten dat een eventuele overstap goed verloopt. Of je hebt een meerjarig contract en het idee dat je daar niet onderuit kunt. Dat kan vaak wél, en de nieuwe aanbieder betaalt zelfs de boete. Je kunt ook besluiten bij je huidige aanbieder te blijven. Denk je aan overstappen? Zie www.EyeOpen.nl

1.5 Prioriteiten

Halverwege de jaren '80 was het ook crisis. Ik verdiende met mijn nuttige mooie werk rampzalig weinig. Toch heb ik me geen seconde arm gevoeld. Ik zorgde ervoor dat er geen gebrek was aan dingen die ik superbelangrijk vond. Ik kocht maandelijks voor minstens 100 gulden boeken, en had altijd een weliswaar stokoude, maar rijdende auto voor de deur. Hoe? Door keuzes te maken. Wel boeken, geen broeken. Wel rijden, geen reizen: vakantie vond en vind ik een beetje een raar concept. Zomaar heel duur ergens heengaan in de pieshitte, terwijl ik het hier prima naar m'n zin heb. Door te schrijven over die zogenaamd arme jaren (arm in guldens, maar voor mijn gevoel rijk door gezondheid en plezier in kleine dingen) werd ik 'besparingsdeskundige'.
En steeds opnieuw moet ik uitleggen dat goed met geld omgaan NIET betekent dat je alle leuke dingen uit je leven schrapt. Dat is één van de hardnekkige vooroordelen en misverstanden die er leven rond dit onderwerp. De meeste mensen worden helemaal sip van het idee alleen al, dat ze ook maar iets zouden moeten inleveren. En dat is nu juist niét de bedoeling. Als je wilt of moet besparen, begin je met de dingen waar je het minste geld voor over hebt. Om de dingen die voor jou wél belangrijk zijn hoe dan ook te kunnen blijven doen!
Op de volgende bladzijde zie je een lijst met kostenposten die je kunt

beïnvloeden (vaste lasten laten we nu even buiten beschouwing). Zet ze in de volgende kolom op volgorde van belangrijkheid, volgens joúw voorkeur. Vul het bedrag in dat je er nu aan uitgeeft en het gewenste bedrag. Het kan dus ook dat je aan bepaalde posten meer wilt spenderen.

KEUZE—KOSTEN	PRIORITEIT	BEDRAG NU	GEWENST
Snoep			
Voeding			
Kleding			
Uitgaan			
Boeken			
Vakantie			
Verzorging			
Cadeaus			
Goede doelen			
Abonnementen			
Clubs			
Alcohol			
Tuin			
Hobby			
Roken			
Openbaar vervoer			
Auto			
Aflossen			
Sparen			

Eigenwijze prioriteiten

Toen mijn ouders het huis kochten waar ik opgroeide, hoorde je een aardig sommetje eigen guldens mee te brengen. Je leende dus sowieso minder dan de waarde van het huis en je begon naast de maandelijkse rente direct af te lossen. Door dat aflossen betaalde je steeds minder rente en uiteindelijk was het huis gewoon heerlijk van jou.

De bank vond het wat minder heerlijk dat ze van deze ijverige huis-eigenaren steeds minder rente ontvingen. Zo'n 20 jaar terug ging de operatie 'hypotheek brainwash' van start. 'Zo veel mogelijk lenen, al heb je een miljoen liggen, en nooit aflossen, want dan heb je hogere maandlasten en minder af te trekken'. De 'aflossingsvrije hypotheek' kwam op de markt en talloze hypotheken werden overgesloten, zogenaamd voor ons eigen bestwil. 'Lage maandlasten!' juichten de banken. 'En eeuwigdurende rente binnenharken, en provisie toe', gniffelden ze als de klanten naar huis waren.

Door met ons allen meer te lenen dan we ooit kunnen terugbetalen is de crisis ontstaan. Huiseigenaren die (nog) niet in de problemen zijn (door werkloosheid, scheiding of andere redenen) kunnen hun financiële toekomst veiliger maken door nú te gaan aflossen. Vooral mensen met een aflossingsvrije tophypotheek, zij die óók hebben geleend voor de kosten koper en de verbouwing, moeten aan de bak. Samen met hen die tot nu toe maar heel weinig aflosten. Krijg eerst zelf duidelijk welke som is geleend en wat de WOZ-waarde van je huis is. Lees de voorwaarden van je hypotheekgever over boetevrij aflossen. Heb of krijg je duidelijk wat voor hypotheek je hebt? 'Aflossingsvrij' betekent in elk geval dat je niet *hoeft* af te lossen, maar waarschijnlijk *mag* het wel. Misschien gaan adviseurs someren dat je een dief bent van je eigen portemonnee omdat je minder kunt aftrekken. Vraag door: kan ik boetevrij aflossen? En bedenk: we zijn niet op aarde om hypotheekrente af te trekken. Hoe kleiner je hypotheek, hoe sterker je er financieel voorstaat, wat alle adviseurs ook beweren. Daar gaat misschien een volgend boek over: ook de grote geldzaken zelf regelen. Zoals huizen kopen en verkopen, een hypotheek uitkiezen of sparen voor pensioen. In dit boek blijf ik wat dichter bij huis.

1.6 Hoe kom je (eerlijk) aan iets?

Als je iets nodig hebt ga je naar de winkel. Dat is althans het ingesleten patroon. Je kunt ook een andere volgorde hanteren. Eerst nadenken, meer zelf doen; dat gaat een boel geld schelen.

Ik behandel dit onderwerp in het hoofdstuk 'werkkamer' omdat je je kunt voorbereiden en oriënteren achter de computer. Probeer de volgende mogelijkheden voordat je naar de winkel holt:

VERGELIJK PRIJZEN

=> Niets is zo frustrerend als je het ding dat jij net gekocht hebt voor € 229, in een andere winkel voor € 189 ziet liggen. Had je je maar beter georiënteerd! Vooral bij grote aankopen is dat zeer de moeite waard. Zoek op verschillende prijsvergelijkingssites. Op www.prijsvergelijker.nl staan dat soort sites handig op een rij.

TWEEDEHANDS

=> Tweedehands is natuurlijk altijd goedkoper dan nieuw. Wie zich ervoor openstelt dat ongeveer alles tweedehands te koop is, kan gigantische bedragen besparen. Je kunt op www.marktplaats.nl ongeveer alles vinden, en zoeken in je eigen buurt.

HUUR

=> Het is absoluut een goed idee sommige artikelen te huren, vooral dure dingen zoals gereedschap of feestkleding. Van tevoren weet je vaak niet of je het artikel regelmatig nodig zal hebben. Ook kun je een beetje ervaring opdoen met een bepaalde soort of kwaliteit.

RUILEN EN LETSEN

=> LETS is een afkorting van Local Exchange Trading System, ofwel: lokale ruilhandel. Er zijn ongeveer 75 ruilkringen in Nederland; je kunt ze zien op http://members.home.nl/letsdb/kaart.htm. Het idee van die ruilkringen is dat je goederen of diensten aan elkaar levert zonder dat er betaald wordt met gewoon geld. Als vergoeding betaal of ontvang je 'punten', die in elke ruilkring anders heten. Roekels, zonnetjes, bruggen, kiezels, api's, knopen, schakels, zero's, talenten, kralen, ritsen, piepers, maatjes, pegels, geintjes, rozen, keitjes, nixen, zeeu's, dinges, en in Amsterdam wordt betaald met noppes. Een Amsterdamse nop staat gelijk aan een euro, maar ook weer niet. Een nop is meer waard, want leuker. En toch geef je hem makkelijker uit. In een ruilkring kun je je mogelijkheden enorm vergroten. Er is zoveel dat je voor noppes kunt doen. Je haar laten knippen, met korting uit eten, meerijden, catering en muziek laten verzorgen op een feestje, je computer laten fixen, huisraad kopen, juridisch advies inwinnen, je belasting laten doen, hulp krijgen bij schoonmaak en klussen, op dieren laten passen, muziek- of taalles krijgen, taart laten bezorgen – te veel om op te noemen.

ECHT VOOR NOPPES

=> Kijk op www.gratisoptehalen.nl! Het is volstrekt niet te geloven wat daar allemaal te vinden is...

1.7 Zelf gedaan is eerst verdiend

In dit boek gaat het over vrolijk besparen door dingen zelf te doen. Bij 'doe-het-zelf' denk je vaak aan klussen, maar er is veel meer dat je zelf kunt doen. In alle hoofdstukken komen daar voorbeelden van aan de orde.

Bijvoorbeeld naaien, kleding repareren en breien. Zelf heb ik twee naai-machines in huis. Een volstrekt antieke handmachine, die bij mijn oma vandaan komt. Als ik door driedubbele spijkerstof moet naaien gebruik ik hem nog steeds.

Een beetje kleding repareren kan ik wel: een zoom leggen, een broek innemen, een los naadje vaststikken, een kapotte rits vervangen, een gordijn maken. In elk huishouden moeten deze dingen gebeuren en als je het laat doen kost het handenvol geld. Knopen aanzetten, dat moet echt iedereen kunnen. En zo niet, dan is er vast wel iemand in de buurt die het uit kan leggen. Een beetje ijzergaren, een dunne sterke naald en vooral goed afhechten. Dan zijn er nog de wat specialistischer werkjes die veel kosten als je ze laat doen, zoals gordijnen naaien. Het is mijn ervaring dat er zo nu en dan iets vermaakt moet worden aan beddengoed. Er zijn bijvoorbeeld nog tweepersoonslakens of dekbedhoezen, maar er is behoefte aan éénpersoons (voor studerende kinderen) of omgekeerd. Zowel dekbedden als lakens en hoezen heb ik regelmatig op de naaimachine aangepast.

Wie een klein beetje handig is met de naaimachine kan leuke (kraam)cadeautjes maken. Een slabbetje van een stukje badstof, afzetten met band en de naam van de kleine erop borduren. Wat je uitspaart als je het zelf doet? Dit betaal je bij de Gouden Schaar: € 3,50 voor het aanzetten van een knoop, € 4,95 voor het vaststikken van een naad; een nieuwe rits in een jack kost € 24,95, in een broek € 18,75.

HOOFDSTUK 2: DE WOONKAMER

Aan de huiskamer zie je de sfeer van het huis en het gezin af:
de meubels die je koos, de kleuren, de koffie die je drinkt, de plek
van de tv. Is het een beetje opgeruimd of een gezellige bende? In
de huiskamer vier je feest, hang je slingers op, maken kinderen
huiswerk en rennen ze rond. Een warme plek om thuis te komen
en op de bank te ploffen.

2.1 Je huis een thuis

Al veel seizoenen lang kijken een kleine miljoen mensen naar 'Bouwval
gezocht' en ik ben er steevast één van. Als fan van Peter van der Vorst,
die het programma kundig en opgewekt presenteert, net zoals toen wij
samenwerkten aan 'Geen cent te makken'.
'Bouwval gezocht' gaat in zekere zin ook over besparen. De kandidaten
hebben pas een huis gekocht dat in slechte staat verkeert. Met een zo
laag mogelijk budget proberen zij een zo groot mogelijke waardestij-
ging van het huis te realiseren. Bouwdeskundige Bob Sikkes geeft de
dappere doe-het-zelvers advies. Het resultaat is soms spectaculair.
Door een eenvoudig huis te kopen en zelf te klussen kun je een boel

besparen. Maar ook als je niet handig en rijk bent zijn er mogelijkheden. Je kunt ook op zoek gaan naar een huis dat je niet of nauwelijks hoeft te verbouwen. Gewoon een huis kiezen met keuken die een beetje naar je smaak is. Je kunt schilderen, als het moet een nieuwe vloer leggen, en met verlichting en inrichting zet je de sfeer naar je hand. Een nieuwe keuken kost al snel € 20.000, een badkamer idem. Als het nog werkt, niet lekt en heel is kun je gebruiken wat je aantreft en een halve ton hypotheek uitsparen.

Het geld dat je uitgeeft aan een nieuwe keuken en badkamer verdien je trouwens nooit meer terug. Keukens en badkamers zijn sterk gebonden aan mode, na tien jaar (of mogelijk al na vijf jaar) zijn ze 'uit'. Ze voegen dus niets toe aan de waarde van het huis. Dat geldt wel voor verbouwingen die het vloeroppervlak van een huis vergroten of het plaatsen van dakkapellen.

Wie een aardige betaalbare huurwoning heeft zit voorlopig op rozen. Staar je niet blind op het 'opbouwen van eigen bezit' van de huiseigenaren. Vul het huis met je eigen sfeer en tel je zegeningen: geen zorgen over reparaties, onderhoud of waardedalingen.

2.2 Koffie

Mijn zwager, die zelfstandig ondernemer is en dus te maken heeft met inkomsten die sterk kunnen variëren, zegt altijd: 'als er werk is gaan we lekker geld verdienen, en als er geen werk is gaan we lekker koffie drinken.' Als je het zo bekijkt zit je altijd goed, en het is bij mij een geliefde uitspraak geworden. Lekker koffie drinken!

Voor mij begint de dag pas echt bij het eerste kopje koffie. Waar zouden we zijn zonder ons bakje troost? Eén probleem: koffie is een statusproduct geworden. Hoe duurder en hoe moeilijker te verkrijgen, hoe hoger de status. Om de Nespressocupjes te mogen kopen moet je door een strenge selectie. Je moet lid worden van de Nespressoclub en langdurig modderen op het internet om je bestelling erdoor te krijgen. Je kunt

Zelf maak ik espresso in een percolator, zo'n veelhoekig Italiaans potje, met filterkoffie van Paco, die jaren geleden als beste (!) uit een blinde smaaktest kwam. In de grachtengordel schijnt het mode te worden om weer zelf koffie te zetten met een filter. We noemen dat 'slow koffie'. Ook daarvoor kan de Paco koffie prima worden ingezet.

Van de espresso uit de percolator maak ik cappuccino met opgeschuimde melk. Er is tegenwoordig speciale schuimmelk van Friesche Vlag. Die werkt naar mijn idee (ik heb het uitgeprobeerd) net zo als volle melk, maar is uiteraard ruim drie keer duurder. Bij echte cappuccino hoort de melk opgeschuimd met stoom. Maar door de melk te verwarmen (niet koken), kloppen, roeren en mixen (met garde, zeefje, stampertje of mini-mixer) krijg je een prachtig schuim. De voordeligste zelfgemaakte cappuccino krijg je door espresso te maken met Paco koffie en halfvolle melk: kosten 5,2 cent per kopje. Dus 10 keer voordeliger dan de duurste.

ook naar de Bijenkorf, waar je op zaterdag vooral heren op leeftijd (die kunnen het betalen en worden gestuurd door hun vrouw) in rode of geruite broeken in de rij ziet staan. Maar het kan nóg prijziger. De capsules en de apparaten van Illy zijn op dit moment het duurst. Wat kost al die aanstellerij?

KOFFIE PRIJS PER KOPJE	
Illy-capsules	42 cent
Nespresso	33 cent
D.E.-capsules	31 cent
Lavazza*	13 cent
D.E. Excellent*	11 cent
Senseopads	8,5 cent
D.E. roodmerk*	7,1 cent
Pacopads	6,3 cent
Paco filterkoffie*	2,7 cent
Halfvolle melk	2,5 cent
Schuimmelk	11 cent
Koffiemelk	2,5 cent
Suiker	0,6 cent

* gewone filterkoffie in een pak van 250 gram.
Voor een kopje is 10 gram koffie gerekend.

2.3 Van je huis houden: opruimen

Om te kunnen genieten van een kopje koffie op de bank moet het geen puinhoop zijn. Een beetje rommel kan gezellig zijn, maar als je achterloopt valt er weinig te genieten.
Het blijkt steeds meer voor te komen dat mensen hun huishouden boven het hoofd groeit. Soms ligt de oorzaak van de achterstand in bijzondere gebeurtenissen zoals het wegvallen van een ouder door scheiding of overlijden, verhuizing, ziekte of gewoon het in huis halen van te veel spullen.
Je kunt er een 'professional organizer' bij halen. Zo iemand kan samen met jou één of meer dagen opruimen en ordenen of je (telefonisch of per mail) coachen. De tarieven van organizers verschillen enorm, van rond de 40 tot meer dan 100 euro per uur. Voordat de beroepsopruimer je goed op weg heeft geholpen zul je al snel honderden euro's kwijt zijn. Maar je kunt best je eigen organizer zijn, sámen met een vriend(in) of

familielid. Stuur kinderen uit logeren. Trek er drie dagen voor uit en werk met een systeem naar keuze. Van vertrek naar vertrek, of klus voor klus (eerst overal was verzamelen, dan papier, dan de rest. Vervolgens alles ordenen). Waarschijnlijk is van kamer naar kamer de meest efficiënte en overzichtelijke manier. Als de achterstand groot is, begin dan met een kleiner klusje dat goed te doen is en ga gestaag verder.

Abonneer je op de gratis nieuwsbrief van huishoudcoach Els Jacobs. Maandelijks krijg je dan gratis opruim- en andere huishoudtips in je mailbox. Zie www.dehuishoudcoach.nl.

Schoonmaakmiddelen

Er komen steeds meer middelen op de markt: voor elk schoonmaak-klusje een apart middeltje. Bijna al die moderne middelen zijn slecht voor het milieu en nog duur ook. Er zijn er wel die minder slecht zijn, maar die zijn vaak weer zeer prijzig. Je kunt de basismiddelen zelf mengen/maken:

=> Soda is goedkoop en belast het milieu niet. Je kunt soda toevoegen aan een sopje met een goedkope allesreiniger. Het werkt dan zeer ontvettend en het is zacht voor de handen. Als je zeer vieze schoonmaakklusjes hebt (bijvoorbeeld vette aanslag in de keuken) maak je eerst een soort pasta van half soda/half water en doe daarmee het voorwerk. Aangebrande pannen, roosters uit de oven en dergelijke kun je laten weken in een sodaoplossing. Ook de badkamer (tegels, wastafels, douche en badkuip) krijg je goed schoon met soda.

=> Je kunt makkelijk zuiniger doen met allesreiniger. De stan-daardflessen hebben een grote opening waardoor je zonder erbij na te denken in elk sopje een flinke scheut gooit. Kijk tussen je eigen assortiment flessen met schoonmaakmiddelen naar de fles met de kleinste opening. Die fles kun je (als hij eenmaal leeg is) voortaan gebruiken voor je zelfgemaakte allesreiniger. De fles voor de ene helft vullen met water, de andere helft met de meest voordelige allesreiniger (zo'n 70 cent per liter).

Een gezellig huis is opgeruimd en niet al te vies. Net als opruimen is
schoonmaken een kwestie van organiseren. Er zijn mensen die zoveel
werken dat ze voor alles een hulp hebben. Maar een hulp doet het werk
zelden 100 procent naar je zin. Het is niet haar huis, niet haar belang. Het
is ook niet in haar belang om snel en goed te werken. Vaak gaat het langzaam en matig. Niet zelden heeft de hulp zelf hulp nodig, op z'n minst
een luisterend oor. Zelf schoonmaken spaart geld, energie en ergernis
en heeft dus veel voordelen. Het is ongelooflijk wat je goed en snel
kunt als je gemotiveerd bent. Een systeem kan daarbij helpen. Gewoon

schema's aanhouden, elke dag een stukje doen. Er zijn veel boeken over modern huishouden. Maak je eigen schema, aangepast aan je eigen huis en gezin. Bijvoorbeeld:

Dagelijks een korte opruimronde,
aanrecht leeg en schoon, plus klus
naar keuze
=> Maandag: wc's schoonmaken
=> Dinsdag: bedden verschonen,
beddengoed wassen
=> Woensdag: douche, bad, wastafels
schoonmaken
=> Donderdag: wc's schoonmaken
=> Vrijdag: overal stoffen, stofzuigen
=> Zaterdag: keuken extra, inclusief vloer

Dit is in een half uur per dag te doen, dat is drie uur per week. Draai er een muziekje bij en zing mee. Gebruik het schoonmaakwerk om je hoofd even leeg te maken. Een huishoudelijke hulp kost tussen de 10 en 14 euro per uur. In de grote steden zijn ze duurder. Neem een gemiddelde prijs van 35 euro per week. Dat is 1820 euro per jaar dat je uitspaart door het zelf te doen.

Onze kinderen deden het huiswerk meestal in de huiskamer. Het is gezelliger en er is een ouder/surveillant in de buurt die een beetje oplet. Volgens mij hoort het bij de taak van de ouders een beetje te helpen met plannen. Wat is het huiswerk? Wanneer moet het af zijn? Op de middelbare school komt er zoveel op kinderen af. Tekst uit een schoolboek *doorlezen* is één ding. *Leren* is iets heel anders: een hoofdstuk, laat staan een heel boek. Hoe krijg je al die informatie in je hoofd? Er komen andere talen op het programma. Woordjes leren, grammatica doorgronden, 'stampen'. Dan de wis-, schei- en natuurkunde en tegenwoordig de informatica. Kinderen zitten, als het goed is, op het schoolniveau dat bij hen past. Met een beetje werken moeten ze het aankunnen. Alleen wordt er tegenwoordig veel meer verwacht van hun zelfstandigheid en organisatievermogen. Terwijl uit recent onderzoek

naar puberhersenen steeds duidelijker blijkt dat jongeren het kunnen organiseren nog moeten ontwikkelen. Het vooruit denken en plannen vindt plaats in de prefrontale cortex en die, zo blijkt nu, is pas rond het 23e jaar volgroeid. Van kinderen wordt dus, vooral op de middelbare school, verwacht dat ze structureel hun werk plannen en organiseren, terwijl ze daar nog niet goed in zijn. Daar komt veel wrijving uit voort tussen kinderen, school en ouders. Sommige ouders zijn de matige resultaten en de reprimandes van school zo beu dat ze op zoek gaan naar huiswerkbegeleiding.

Voor 450 euro kan een kind naar een naschools huiswerkinstituut. Sinds enige tijd kunnen kinderen ook online begeleid en overhoord worden. Dat kost een kleine 250 euro per maand. Er zijn cito- en examentrainingen die 400 euro voor 4 dagen kosten.

Dat kunnen wij ouders best zelf. Wanneer je helpt bij het organiseren van de studie, ben je meer betrokken bij het leven van je kind in deze zo cruciale fase. Dat is best gezellig en je bouwt een enorme band op. Soms kwamen vrienden van onze kinderen schoorvoetend mee naar ons huis, grote lummels, die toch ook wel graag die lastige wiskunde onder de knie wilden krijgen. Zij hadden kennelijk gehoord dat er bij ons thuis thee en uitleg te krijgen was.

2.6 Verwarming en verlichting

Om te besparen op energie hoef je echt geen ecohuis van strobalen te bouwen, je dak te plaveien met zonnepanelen of in de kou te gaan zitten. Er zijn zoveel kleine bespaarmogelijkheden in huis.

De meest voor de hand liggende besparing op de kosten van verwarming bereik je door een HR(hoogrendements)-ketel te kiezen. Dat scheelt rond de 150 euro per jaar op de gasrekening. De hogere aanschafprijs ten opzichte van een gewone ketel heb je er in ongeveer vijf jaar uit. Kijk voor meer informatie op www.milieucentraal.nl.

Het kan nog veel eenvoudiger. Zet de verwarming gewoon wat lager en doe wat extra's aan. Je bespaart ongeveer 50 euro per jaar per graad lager. Je kunt de thermostaat standaard op 18 graden zetten en als het oncomfortabel wordt iets hoger. 's Nachts is 15 graden ideaal.

Of je verwarmt alleen de kamer(s) waar je echt komt. Het is ook slim om even te luchten voordat je de verwarming aandoet. Frisse lucht is droger en het kost minder energie om die te verwarmen. Zet de thermostaat wel even lager terwijl je ventileert en laat de ramen niet open staan terwijl de verwarming brandt. 's Avonds de gordijnen dicht doen als de verwarming aan staat scheelt ook verlies van warmte naar buiten. Zorg er daarbij wel voor dat de warmte zo min mogelijk achter de gordijnen verdwijnt. Zet ook geen grote meubels voor de radiator en breng aan de achterkant eventueel radiatorfolie aan. Die kun je tegenwoordig vrij makkelijk achter op de radiator plakken, in plaats van op de muur.

Plan op tijd een onderhoudsbeurt voor je cv-ketel, liefst voor de winter. Zelf kun je de cv-installatie ontluchten en bijvullen met water. Maak, indien nodig, ook een afspraak met een schoorsteenveger. Regel een tochtafsluiter op je brievenbus. Kost maar een paar euro en bespaart per jaar zo 15 euro aan gas. Overweeg een dik gordijn voor de voordeur als je hem weinig gebruikt. Voorzie ramen en deuren van tochtstrips. Het kiert ook vaak bij de aansluiting tussen het kozijn en de muur. Deze

naden kun je met purschuim of kit dichtspuiten en eventueel afwer-
ken met een latje er overheen.

Door je woning echt te isoleren kun je veel geld op je energierekening
besparen. Een goed geïsoleerd huis verbruikt per jaar 700 m³ aan gas
voor verwarming, terwijl dat rond de 2000 m³ is in een slecht geïsoleerd huis (gegevens Milieucentraal). Dat is een besparing van ruim
900 euro per jaar.

2.7 Hoor wie klopt daar geld uit mijn zak?

Feesten vier je in de huiskamer.
Verjaardagen, Pasen, Sint, Kerst,
Oud en Nieuw... Ze zijn er om
gevierd te worden. Maar rond
al die feesten is een brei van
misverstanden ontstaan.
De commercie tovert ons
een beeld voor van vol-
maakte gezinnen
(vader, moeder,
zoontje,
dochtertje)
in een on-
berispelijk
interieur,
die het
samen met
een goed-
verzorgd
stel groot-
ouders
hysterisch

Sint commercie-vrind

=> Noteer het hele jaar door wensen van gezinsleden. Er worden veel onnodige kosten gemaakt door tijdnood. Doordat Sint op het laatste moment geen cadeau weet te verzinnen en dan maar kiest voor dure en onzinnige prullen. Cadeaus die op het lijf zijn geschreven maken de meeste indruk.

=> Vier óf Sint óf Kerst met cadeaus. Vooral jonge kinderen lopen het risico op een cadeauvergiftiging. Symptomen: prikkelbaarheid, snel huilen, slecht slapen en geen pakjes meer willen uitpakken.

=> Beperk het schoenzetten tot één, hooguit twee keer per week. En doe iets kleins in de schoen, zoiets als bellenblaas, puntenslijper, gel-pen, chocolademuis of stickers.

=> Voorkom Sint-verwarring en -overkill. Laat kinderen dus niet naar alle hectische Sintseries op de verschillende netten kijken.

=> Voor wat, hoort wat. Laat kinderen die nog geloven serieus werken aan tekeningen of brieven voor Sint, aparte voor Piet. Bij het schoenzetten hoort het zingen van meerdere liedjes. Wat water en een wortel voor het paard mogen niet worden vergeten. Stoute kinderen gaan tegenwoordig niet meer in de zak, maar het wijzen op cadeautechnische gevolgen van wangedrag kan geen kwaad.

=> Bezoek met de kleintjes (gratis) Sintactiviteiten zoals de aankomst in het dorp en Sints rondgang door het winkelcentrum. Laat kinderen meedoen aan het maken van kleurplaten voor winkels of banken of het schoenzetten bij supermarkten.

=> Voor Sinterklaasavond met volwassenen kun je natuurlijk heel goed een limiet afspreken. Sommigen vieren Sint met cadeaus van maximaal 5 euro, maken vooral surprises en gedichten of doen een spel.

=> De mooiste en liefste gedichten zijn een cadeau op zichzelf. Alles wat het kost is tijd en aandacht.

gezellig hebben. Met die beelden duurt het niet lang tot je jezelf een kneus voelt met je wat oudere spullen, je wat gekreukte kleren en je familiebanden waarin het heel wat ingewikkelder gesteld is dan op die foto's in de bladen. Maar vergeet de bladen! Koester je eigen tradities, je rommelige gezin, met de kinderen uit een eerder huwelijk van je huidige partner, je ex-schoonzus, je zwager en zijn vriend, het kind van de buren en maak je eigen feest. En denk niet dat je de kans op een goede sfeer vergroot door een zak met geld uit te geven. Feest = sfeer. Als je heel veel uitgeeft en het is toch niet gezellig, is dat wel dubbel tragisch. Mijn recept: doe zoveel mogelijk zelf, geef liefde en aandacht en houd de kosten beperkt.

HOOFDSTUK 3: DE KEUKEN

Jaren geleden verbouwden wij onze keuken. Een enorme operatie, want er werd een stukje aan het huis gebouwd. Een groot deel van mijn geliefde potten en pannen verdween in dozen, waarna de aftandse keuken werd gesloopt. Ik kookte op een gasstel in de noodkeuken, die eerst onder het afdak en later in de schuur werd ingericht. In die maanden begreep ik pas goed wat een keuken betekent. Ik voelde me ontheemd. Als de werkkamer het brein is, is de keuken het hart van je huis.

3.1 Heerlijk koken

Twee ontwikkelingen in de maatschappij staan eenvoudig lekker en voordelig koken in de weg. De eerste is de opkomst van het kant-en-klaareten. De consument van de toekomst wordt een kookanalfabeet. Het gaat tegenwoordig niet alleen meer om kant-en-klare nasi, pizza's en stamppotten. Bijna geen enkel ingrediënt wordt nog in zijn basisvorm aangeboden. Het begon sluipend. Sauzen uit knijpflessen, geschilde aardappelen, gesneden en gewassen groenten in het koelvak, klaargemaakte gehaktballen (al dan niet gebraden), vers geperst sinaasappelsap, jus uit een flesje. Van lieverlee is dat aangevuld met sandwiches, drinkontbijt en geheel klaargemaakte salades die alleen

Eten moet (volgens mij) lekker, gezellig, voordelig, gezond, vers, caloriearm zijn en weinig vlees bevatten. Kant-en-klaarmaaltijden of -producten voldoen niet eens een béétje aan dat eisenlijstje (behalve wat betreft 'weinig vlees'). De uitstraling van zo'n kant-en-klaarhap is net zo koeltjes als de kast waar hij uit komt. Als het al lekker is komt dat omdat er teveel zout en slagroom doorheen zit. Hoe blijft koken leuk ondanks de opdringerige reclameboodschap dat het tijdrovend en moeilijk is?

=> Koop zoveel mogelijk basisproducten en zo min mogelijk pakjes en zakjes (vooral qua sauzen). Het is handig als je standaard een aantal dingen in huis hebt (zie blz. 139 - Voorraadkast).

=> Vul je keuken met lekkere kruiden, smaakmakers, oliën, prachtige weckflessen, veel wijn, potten, kleurig glaswerk, flessen azijn met kruiden, ingenieuze pan-netjes en gereedschapjes, scherpe messen, handige mengkommen, een eenvoudige staafmixer, een goed fornuis, veel houten lepels die goed voor het grijpen staan, planken vol kookboeken, mooie schalen, antiek keukengereedschap gemixt met het comfort van een ruime moderne keuken, bossen gedroogde bloemen, schilderijen met etenswaren of andere leuke afbeeldingen, een radio, antieke borden en een gezellig hondje. Realiseer je steeds wat de voordelen zijn van zelf koken.

nog maar gekauwd en doorgeslikt hoeven te worden. Mensen willen straks nog hooguit een paar ingrediënten bij elkaar gooien, maar niet veel tijd meer besteden aan het trekken van soep of het schillen van aardappels.

Een andere tendens is dat koken een wedstrijd is geworden. Je ziet steeds meer door strenge chef-koks getiranniseerde competities op tv, waar peentjes zwetende amateurs de strijd met elkaar moeten aanbinden. Als hun uitgekiende liflafjes een beetje anders zijn uitgevoerd dan gewenst, worden ze door de opperkoks tot op hun sokken afgebrand. De kant-en-klaartendens suggereert al dat koken moeilijk en tijdrovend is, die kookprogramma's maken het werk af door de kijker een minderwaardigheidscomplex te bezorgen. Dit brengt weinig goeds, en betekent een enorme prijsverhoging voor ons dagelijkse maaltje.

3.2 Aardappels, pasta, rijst

Elke warme maaltijd heeft pasta, rijst, aardappels, bloem of couscous als basis. Om gezond en lekker voordelig te koken moet je goed letten op de prijs van die producten. Juist omdat ze steeds terugkomen. Neem bijvoorbeeld aardappels.

Stel: je eet vier keer per week aardappels met vier personen. Je consumeert dan zo'n zes kilo aardappels per week, dus 315 kilo per jaar. Aardappels kosten ongeveer 25 cent per kilo, wanneer je ze in zakken van 5 kilo koopt. In de aanbieding of bij de boer kan het nog goedkoper, maar daar gaan we nu even aan voorbij. Een gezin van vier personen betaalt dan een kleine 80 euro aan aardappels per jaar, ofwel twintig euro per persoon.

Tenzij...je er een gewoonte van hebt gemaakt om de ene keer 'gekruide krieltjes' te kopen, dan weer eens geschilde aardappelen, afgewisseld met zogenaamde 'stamppotaardappelen'(uit Stamppotland?!) of voor de verandering 'pofaardappelen'. En dan kun je af en toe ook nog kiezen voor 'kreukelfriet' of 'grillpartjes'.

Zelf patat maken

Aardappels schillen, in schijven en reepjes snijden. Eerst frituren in niet al te hete zonnebloemolie. Daarna het vet opwarmen en ze kort knapperig bakken. Lekkerder bestaat niet.

=> Voor luie prijsbewuste koks: kook de aardappels in de schil. Snijd ze in plakken en frituur deze. Bestrooi ze met grof zout. Ook heerlijk.

=> Voor kleine kinderen kun je uit deze schijven ook vormpjes steken, zoals sterren en hartjes.

=> Kook de aardappels in de schil en snijd ze in partjes. Bestrooi ze met kruiden naar smaak (bijvoorbeeld rozemarijn) en bak ze samen met wat kleine stukjes spek even in de koekenpan. Dan heb je je eigen betaalbare bacon-grillpartjes.

Leuk en lekker allemaal, alleen ben je zo wel véél duurder uit dan met onze basispieper. Op de duurste manier zou dit gezin van vier al snel 1250 euro per jaar kwijt zijn aan aardappels.

Pasta is ook een goede, goedkope en lekkere basisvoeding. Voordelige spaghetti is in bijna alle supermarkten te koop voor € 0,24 per 500 gram. Dure merken als Grand'Italia kosten een veelvoud van de meest eenvoudige pasta. Zo kost biologische spaghetti AH € 1,10. Verse Pasella pasta kost € 1,39 voor 250 gram, dus € 2,78 voor 500 gram. Dat is 11,5 keer duurder dan de voordelige variant. De duurste pasta is een zakje tricolore tortellini: € 5,90 per pond. Dat is dus 6 maal duurder dan de Aldi tortellini, en bijna 25 keer duurder dan de voordeligste spaghetti. *Bami* is ook voordelig: 500 gram heb je al vanaf € 0,35. Verder zijn *couscous* en *rijst* ook lekker, gezond en niet duur (snelkookrijst: € 0,33 voor 250 gram).

3.3 Groente & Fruit

Soms klagen mensen dat ze wel ongezond moéten eten, omdat verse groente en fruit te duur zijn. Dat is echt flauwekul. Groente blijft betaalbaar met de volgende tips:

- Koop verse groente uit de aanbieding.
- Maak eens een andere salade; als ijsbergsla duur is neem dan kropsla. Gebruik groente die wel betaalbaar is. Bijvoorbeeld komkommer, tomaat, winterwortel, spitskool of Chinese kool.
- Wissel eventueel af met groenten uit glas; deze schijnen qua vitaminen niet onder te doen voor vers. De potten van het merk Koolen zijn goed betaalbaar: bietjes, rode kool en erwten-wortelcombinatie alle drie voor € 0,59.
- Varieer met blik. Een klein blikje maïs kost € 0,55, een groot blik bruine bonen idem.
- Wissel af met diepvries. Diepvriesspinazie à la crème van Groko of Euroshopper kosten ongeveer € 0,40.
- Verbouw wat groente in tuin, op balkon of vensterbank (zie blz. 126 - Minimoestuin)
- Of, als dat niet haalbaar is: word vrienden met iemand met een volkstuin. Zo iemand wil meestal graag wat weggeven, maar kan met moeite mensen vinden die groenten nog willen wassen en snijden.
- Over groente snijden gesproken. Wie investeert in een eenvoudig maar goed keukenmes en een stevige snijplank bespaart honderden euro's per jaar. Ongeveer alle soorten groenten worden tegenwoordig gewassen, gesneden en verpakt verkocht. Maar dat is wel 2 tot 16 keer duurder dan zoals het van het land komt. Bij sla is het overduidelijk. Door je groente zelf te snijden bespaar je makkelijk twee euro per dag. Het is dan ook nog eens verser en lekkerder.

www.youtube.com/watch?v=ydcLQ9NUnag

GROENTE	PRIJS PER STUK IN AANBIEDING	PRIJS PER KILO	BEWERKT PRODUCT	PRIJS PER KILO	HOEVEEL X DUURDER
IJsbergsla	€ 0,49 500 gram	€ 0,98	Gesneden ijsbergsla 100 gram € 0,99	€ 9,90	10 x
Winterwortel	€ 0,49 per kilo	€ 0,49	Wortelballetjes 200 gram € 1,20	€ 6,-	12 x
Bloemkool	€ 1,- voor 2 kilo	€ 0,50	Bloemkoolroosjes 350 gram € 1,99	€ 5,68	11,3 x

Fruit

Diverse soorten fruit en fruitsalades worden tegenwoordig gewassen, gesneden en verpakt verkocht. Ook is er een groeiende groep die geprakt fruit verkiest boven een vers hapje. Dat heet dan 'fruitshot'. Het zit in kleine flesjes. Op die manier valt de onbegrijpelijk hoge prijs per liter misschien minder op. Dat is dan allemaal wel 4 tot 11 keer duurder dan nodig (Zie ook blz. 134 over 'wild fruit jagen').

FRUIT	PRIJS PER STUK IN AANBIEDING	PRIJS PER KILO	BEWERKT PRODUCT	PRIJS PER KILO	HOEVEEL X DUURDER
Appel	€ 0,08 Elstar	€ 0,86	Snoepfruit AH 100 gram € 0,99	€ 9,90	11,5 x
Sinaasappel	€ 0,13 per stuk	€ 0,80	KnorrVie 3x100 ml € 1,68	€ 5,60 per liter	7 x

3.4 Vlees en vega

Elke dag (veel) vlees eten is niet nodig, niet gunstig voor het milieu en niet eens gezond. Wie op zoek gaat naar vleesvervangers staat raar te kijken van de prijzen. Het zijn ook van die rare flappen en nepvlezen. Sponsachtige soja in de vorm van een karbonaadje.

Je kunt enorm besparen door zelf alternatieven voor vlees te verzinnen.

- Zet af en toe een maaltje met aardappels, spinazie en ei op het menu. Voordelig en heerlijk!
- Maak eens nasi met zelfgemaakte foo-yong-hai.
- Eet één of twee keer per week vis. Koolvis is op alle fronten (qua prijs, gezondheid en milieu) prima. Koolvisfilet is uit de diepvries te koop, bijvoorbeeld bij Lidl. Vissticks zijn er ook van gemaakt, net als surimi-sticks.
- Eet eens een kaassoufflé, ze zijn maar € 0,25 per stuk (6 x 60 gram voor € 1,49 bij Lidl).
- Maak zelf een wereldburger, van 4 à 5 sneetjes/kapjes oud brood, halve winterwortel, 1 ui, 1 ei, 2 theelepels Zwitserse poederkaas, 2 eetlepels paneermeel, zout. Alles wat hartig is kun je aan je burger toevoegen. Wat gesnipperde ui, paprika, maïs, stukjes tomaat, prei.

Vleesvervangers van goedkoop naar duurder:

PRODUCT	GEWICHT	PRIJS	PRIJS PER KILO	PRIJS PP PER MAALTIJD
Wereldburger zelfgemaakt				€ 0,10
Scharrelei				€ 0,12– 0,20
Kaassoufflé	360 gram	€ 1,49	€ 4,14	€ 0,25
Tempeh	250 gram	€ 1,39	€ 5,56	€ 0,33
Alpro Soja naturel	375 gram	€ 1,69	€ 4,51	€ 0,27
Quorn voor nasi	140 gram	€ 2,49	€ 17,79	€ 1,07
Vivera nuggets	250 gram	€ 2,79	€ 11,16	€ 0,67
Maaslanderburger	150 gram	€ 2,29	€ 15,27	€ 0,92
Valess burger	180 gram	€ 2,39	€ 13,27	€ 1,19
Valess Kaasburger	200 gram	€ 2,79	€ 13,95	€ 1,40

Onze vegetarische zoon vindt vleesvervangers principieel onzin. Hij gebruikt veel zongedroogde tomaatjes, champignons, noten en bonen.

3.5 Brood en broodtrommel

Zelf brood bakken

Wij gebruiken het zelfgebakken brood als een traktatie. Ik heb een broodbakmachine die twee halve broodjes bakt. De basis-ingrediënten voor zo'n halfje zijn: 300 gram bloem, 200 ml water, eetlepel olie, theelepel zout, 3,5 gram droge gist.

IN HET DEEG GAAT	PRIJS PER EENHEID	GEBRUIK PER BROOD	PRIJS PER BROOD
Witte bloem	€ 0,29 /kilo bij Lidl	200 gram	€ 0,06
Volkoren bloem	€ 0,89 /kilo bij AH	100 gram	€ 0,09
Havermout	€ 0,79 (0,39/pond)	10 gram	€ 0,01 (afgerond)
Zonnebloemolie	€ 1,05 (liter)	10 ml	€ 0,01
Gist	€ 0,59 (3 x 7 gram)	Half zakje	€ 0,10
Totaal voor halfje			€ 0,27

Om het nog wat bruiner te krijgen voeg ik wat bruine suiker toe, een theelepel zoete ketjap en een bakje kruimels en zaadjes (zonnepitten, sesamzaadjes, maanzaad en andere kruimels van onze broodplank gaan in een schaaltje, waar ze drogen zodat ze houdbaar zijn).

Brood mee

Uit recent onderzoek blijkt dat de omzet van de bedrijfskantines de laatste jaren daalde met twee procent. Dit had vooral te maken met teruglopende bezoekersaantallen en afnemende bezoekfrequentie. Opmerkelijk is dat meer medewerkers toegang kregen tot een bedrijfsrestaurant, maar dat het aantal kopers niet toenam. Meer dan de helft van de werknemers (ook bij aanwezigheid van een bedrijfsrestaurant) kiest tegenwoordig toch weer voor de vertrouwde broodtrommel.
Een lunch in de school- of bedrijfskantine kost al snel zo'n 4 euro. Een eigen lunchpakket is meestal voordeliger. Want je kunt het zo goedkoop of duur maken als je zelf wilt:

- Lunchpakket 'Luxepaardje' (met donkerbruin meergranen-pom-poenpittenbrood, met luxe gesneden kaas, wat duurder vleesbeleg, een wegwerp drinkpakje en een fles 'Fruit Today') komt op een kleine drie euro.
- Lunchpakket 'G4' (Gewoon, Goed, Goedkoop en Gezond), met voor-delig bruin brood, voordelige kaas en Gelderse worst of smeerworst als beleg, een half litertje melk, een stukje fruit en een plak ontbijt-koek) komt op ongeveer 60 cent.

LUNCH, 4 DAGEN PER WEEK	PRIJS DER DAG	PRIJS PER JAAR	PRIJS PER VIJF JAAR
In restaurant	€ 10,–	€ 1600	€ 8000
In kantine	€ 5,–	€ 800	€ 4000
Lunchpakket Luxepaardje	€ 3,–	€ 480	€ 2400
Lunchpakkt G4	€ 0,60	€ 96	€ 480

In vijf jaar tijd bespaart iemand met een vierdaagse werkweek dus ruim 7500 euro, met alleen die lunchpakketjes. Dat is een kleine auto. Voor iemand met een fulltime baan wordt het zelfs een leuke auto.

VOOR DE BODEM:

=> Een pak voordelige koekjes: € 0,33 (Lidl 4 × 200 gram € 1,29)

=> f Pally tarwebiscuit € 0,37 (Vomar, 220 gram € 0,37)

=> 125 gram roomboter € 0,40 (250 gram € 0,80)

De koekjes in een theedoek verkruimelen met een deegrol (of fles, of hamer).
De gesmolten boter toevoegen en de bodem van een springvorm bedekken. Laten
opstijven in de koelkast.

DE VULLING IS VOORDELIG TE MAKEN MET CUSTARD. NODIG:

35 gram Dr. Oetker custard € 0,03 (400 gram € 0,39)

5 dl (500 ml) melk € 0,22 (1 liter € 0,45)

35 gram suiker € 0,02 (1,5 kilo voor € 0,95)

Een deel van de melk eventueel vervangen door wat slagroom.

3.6 Taart

Wie een leuk pruimenboompje heeft weten te vinden of een voorraadje pruimen kreeg aangeboden (zie blz. 134 over wild fruit jagen)
weet al snel niet meer wat te maken. Je begint met jam en siroop. Heel
misschien maak je wijn. Maar vergeet de pruimentaart niet! Een prui-
mentaartje kun je op verschillende manieren maken:

- Custard oplossen in beetje melk: melk
  aan de kook brengen, custardmengsel
  toevoegen.
- Kloppen met de garde terwijl het even
  doorkookt. De custardvla over de bodem verdelen en laten afkoelen.
- Pruimen halveren, pit verwijderen. De
  pruimen met de bolle kant naar boven
  op de room leggen. Desgewenst afdek-
  ken met een laagje gelei (of Tartina).

Tartina kost € 1,09 voor
5 zakjes van 10 gram.
Als je een half zakje
gebruikt, wordt dat
9 cent. De afgebeelde
taart kostte dus nog
geen anderhalve euro.

3.7 Feestdiner

Veel mensen krijgen zo de zenuwen van de hoge eisen die aan een cor-
rect kerstdiner of ander feestmaal worden gesteld dat ze steeds meer
kant-en-klaar kopen. Van complete garnalencocktails in het glazen
schaaltje, waterige soepjes, opgemaakte gourmetschotels (al kun je
daar al bijna niet meer mee aankomen) tot voorgebraden wildschotels
in luxe saus. Of het lekker is en bij je eigen smaak past (laat staan de
smaak van kleine kinderen) is nog maar helemaal de vraag. Het enige
dat gegarandeerd en zeker is, zijn de belachelijke prijzen. Kom op jongens, zelf maken is niet alleen voordeliger, maar ook leuker, lekkerder
en veel gezelliger. Je bespaart jezelf niet alleen geld, maar voorkomt de
kerstkeukenstress die al tot veel ongelukken heeft geleid.

FEESTDINER

=> Zoek in de tijdschriften die gratis in de supermarkt te krijgen zijn naar menusuggesties en inspiratie. Voordeelsupers zoals Aldi, Lidl of Jumbo hebben ook vaak folders met recepten. Volg nooit klakkeloos recepten op. Laat de allerduurste ingrediënten weg of vervang ze door voordelige.

=> Zoek precies uit hoe laat de winkels dichtgaan vlak voor kerst. Rollades, filet americain, luxe vleeswaren, fondueschotels en biologisch scharrelvlees worden meestal een uur voor sluitingstijd afgeprijsd. Je kunt overwegen pas in dat laatste uur je keus voor het vlees van je kerstdiner te maken. Of je stelt met je aankoop een gourmetschotel samen.

=> Kies een voordelige en verrukkelijke basis: aardappels. Kook schoongeboende aardappels in de schil en snijd ze (eenmaal afgekoeld) in schijven. Of in partjes of vormpjes. Frituur ze in zonnebloemolie en bestrooi ze met grof zeezout. Of maak zelf rösti.

=> Serveer vier soorten groenten zoals maïs, boontjes, broccoli, asperges, een bakje rauwkost (komkommer in sterren gesneden, tomaat of wortel) en een schaaltje groene sla. Dan is er voor iedereen wel iets lekkers bij.

=> Neem als toetje een eenvoudige roomijs waar je naar smaak kaneel, stukjes noot of fijngeraspte overgebleven chocoladeletters doorheen hebt geroerd. Met zelfgeklopte slagroom. Of met warme chocoladesaus.

Feesthapjes

Kijk in de supermarkt of bij de traiteur wat je lekker lijkt en maak dat na. Koop een voordelig bolletje Saks van 150 gram (zo'n 35 cent bij de voordeelsuper) en roer daar kruiden, champignons en/of knoflook naar smaak doorheen. Presenteer het in een aardewerken schaaltje. Voilà: een heerlijke paté gecreëerd.

Zelf zag ik smeersels (die dan ineens 'mousse' heten) te koop in een puntzak. Een hammousse, kaasmousse of eiermousse. Vlak voor consumptie knip je de punt van het zakje en spuit je de mousse vers op een toastje. Bij het Kruidvat heb je van die puntzakken voor dropjes. Maak een saus door een paar flinke eetlepels magere kwark, een eetlepel yoghurt, een eetlepel fritessaus, een snuf zout en een halve theelepel suiker door elkaar te roeren. Snijd ham, kaas of ei in kleine stukjes en roer ze door de saus. Even blenderen en overdoen in zo'n puntzak.

Bubbels

Champagne en andere witte bubbelwijn werden pas door de Consumentenbond getest. Castell Lord brut, een Cava, dus Spaanse wijn, voor 5 euro verkrijgbaar bij de Aldi, werd aangewezen als goed alternatief om voordelig te knallen. Een andere Cava, de Copa Sabia brut, kreeg de beoordeling 'fris en fruitig', ofwel 'gewoon lekker' (€ 7,50 bij de Hema).

Zelf speur ik altijd naar zo'n donkergroene verstevigde fles met grote knalkurk, enorm goed verstopt in de onderste schappen van de supermarkt, met zwart etiket en gouden krulletters: een appelcider met een alcoholpercentage van 2 procent. In de tijd van de gulden kostte hij fl 1,20, tegenwoordig een dergelijk bedrag in euro's. Behandel de wijn als champagne en zet hem in de champagnekoeler. Leuk bij Oud & Nieuw, een examenfeest, picknicks in de zomer of andere gelegenheden die je feestelijk wilt onderstrepen.

HOOFDSTUK 4: DE KINDERKAMER

In de loop der jaren zijn alle kamers op de tweede en derde verdieping van ons huis wel eens van functie en eigenaar gewisseld.
Eerst deelden de oudste twee jongens een kamer en was de
babykamer dicht bij ons. Later deelden de jongste twee een kamer en verhuisde de oudste naar zolder.
Logeerkamer werd werkkamer, kinder-
kamer, tienerkamer, studentenkamer en
atelier. De kastjes verhuisden van kamer naar kamer. De kinderen maakten
er zelf een fijne eigen plek van.

4.1 Het beste voor je kind

Iedere ouder wil zijn kind 'het beste' geven. Maar dat het beste ook
meteen het duurste moet zijn, is een hardnekkig en lastig misverstand.
Net zoals het idee dat een feest vanzelf slaagt als je er maar veel aan
uitgeeft.

Ouders zijn bang dat kinderen hen minder aardig vinden als ze geen
dure spullen krijgen die andere kinderen wel krijgen. Allemaal misverstanden. Denk aan je eigen jeugd. Wat zijn je meest dierbare herinneringen? Zelf denk ik aan de sinterklaasgedichten, aan de door vader
zelfgemaakte sinterklaascadeaus (een winkeltje, een poppenwieg, een
schitterend poppenhuis), aan de boeken die we tijdens Kinderboeken-
week mochten uitzoeken: elk kind een echt eigen boek. Ik denk ook aan
die hut die we in de kamer maakten en die dagen mocht blijven staan.
Tijd, liefde, aandacht, grenzen zijn allemaal veel belangrijker dan de

hoogte van het zakgeld. Kinderen willen dat ouders de grote lijnen uit-
zetten, de grenzen bewaken. En dat dit in een goede sfeer gebeurt. Wat
hebben kinderen nu echt nodig?

www.youtube.com/watch?v=RP4abilldQpc&feature=player_embedded

=> Gezond eten. Daar gaan we al: het kind denkt
   dat het vooral snoep en chips nodig heeft. Maar
   het lichaam vraagt vooral om eenvoudige, gevarieerde
   maaltijden.
=> Liefde. Dus tijd, geduld, veiligheid en een ontspannen
   stemming.
=> Een eigen plek. Eerst een wiegje, een bedje, later een
   bed, een bureau, boeken, een eigen sfeertje. Een plek
   waar je met anderen kan spelen.
=> Leuke kleding.
=> Kinderen moeten kunnen bewegen, rennen, springen en
   schreeuwen.

Als je dit rijtje langsloopt, merk je dat deze dingen niet veel geld hoeven te kosten. Vaak zelfs gratis zijn. Liefde, liedjes zingen en voorlezen zijn gratis, en de eigen plek is een kwestie van sfeer. Boeken komen uit de bibliotheek en ga zo maar door. Zeker, kinderen moeten het beste hebben - niet het duurste! Toch voelen ouders zich vaak schuldig, meestal onbewust. Vooral moeders hebben het zich schuldig voelen tot een kunst verheven. Maar komen de kinderen echt tekort? Eigenlijk kun je bijna altijd concluderen dat je kinderen het best goed hebben, en dat je als ouders je best doet. Je kunt jezelf vergelijken met mensen die rijker zijn. We zijn daar, zonder erbij na te denken, vaak toe geneigd. Dat is een goede methode om je altijd ongelukkig en ontevreden te voelen. Je blijft aan de gang - er zullen altijd mensen zijn die het materieel beter hebben. Of ze ook gelukkiger zijn is nog maar de vraag. Denk aan Elvis Presley, die wentelend in overvloed toch heel eenzaam aan zijn einde kwam. Je kunt jezelf ook vergelijken met mensen die het minder hebben. Daarvan zijn er véél meer. Natuurlijk hebben kinderen ook spullen nodig. Eerst bedjes, meubeltjes, kleding. kleine kinderen kosten nog niet zoveel. Later komen daar computers bij, laptops, en een nieuwe smartphone op z'n tijd. Als kinderen klein zijn valt er enorm veel te besparen. Dat geld kun je inzetten wanneer ze – in de tiener- en studententijd – wat duurder worden.

4.2 De uitzet

Juist in de eerste jaren kun je met een jong gezin een vermogen uitsparen, door bijna niets te kopen en aan te pakken wat je krijgt aangeboden. Bedjes, kinderwagens, kleertjes, flessen, speelgoed, boekjes, knuffels: mensen hebben het nog liggen en vinden het leuk als hun spullen weer een bestemming krijgen. Het enige wat je hoeft te doen, is laten weten wat je nog nodig hebt. Laten zien dat je blij bent met de dingen die je krijgt aangeboden, hartelijk bedanken en onthouden van wie je wat kreeg. Zo spaar je geld en je energie voor later.

Als je openstaat voor het krijgen van spullen voor je kinderen, verwerf je een plaatsje in het 'festival van geven en krijgen'.

WAT HEB JE NODIG EN KUN JE MET GEMAK IN DRIEVOUD KRIJGEN?

=> wiegje, bedje, matrasje, lakentjes, beddengoed, slaapzak
=> commode, washandjes, handdoeken, badcape, badje
=> kleertjes, schoentjes
=> flessen, spenen, fopspenen
=> autostoeltje, wagen, box
=> later klein tafeltje en stoeltje, loopwagen, driewieler
=> misschien een draagzak, rugdrager

Geef het 'festival van geven en krijgen' een kans:

- Neem even de tijd, wacht met kopen
- Laat weten dat je iets zoekt
- Hang een briefje op het prikbord van je werk of in de supermarkt
- Eindig alle e-mail met een PS-je: 'Ik ben op zoek naar een draagzak'
- Bedank hartelijk en vertel van wie je dit leuke ding hebt gekregen

Het krijgen, zonodig opknappen en naar je hand zetten van deze spullen voelde voor mij als 'nestelen'. Er blijven een paar dingen over die volgens mij onmisbaar zijn in een kinderhuis en die je in de loop van de tijd moet organiseren.

OOK ONMISBAAR

Een goed gevulde verkleedkist en een basis-schminkset horen erbij. In de kist hoeven geen gekochte outfitjes, maar wel veel oude sjaaltjes, handschoentjes en andere afdankertjes die de kinderfantasie prikkelen. Voor jongens attributen waarmee ze zich kunnen verkleden als clown (gestreepte broek, vrolijke kleuren, dopneus, grote schoenen), zeerover (gerafelde broek, ooglapje) of superheld (manteltje en veel hoeden en petten). Meisjes willen prinsessen zijn: glitter, hakken, lange handschoenen. Schminkspullen om het af te maken. Een echt mooi Pietenpak (pruikje en oorbellen wel kopen) is voor beiden leuk. Verder mag een zandbak, desnoods op het balkon, niet ontbreken. Hoeft niet groot te zijn. Zelf begonnen wij met een lade uit een diepe kast, waar toch heel wat kleuters omheen hebben gezeten. Later kwam er een reuze zandbak (formaat hele biels maal halve biels).

4.3 Eten, drinken, snoepen

In het keukenhoofdstuk staat uitgebreid hoe je gezond en voordelig kunt koken en lunchen. Dat geldt allemaal ook voor kinderen, maar er komen een paar dingen bij. Het besparen begint al bij de kleinste baby. Maak bijvoorbeeld zoveel mogelijk alle babyvoeding zelf. In alle potjes uit de winkel zit appel, waardoor ze allemaal even zoet smaken. Als je een keer een aardappel-groente-vleesmaaltijd eet, kun je een beetje voor de baby pureren met een staafmixer en dat invriezen. Zelf kook ik sindsdien de basis zonder zout, en voeg zout en kruiden pas op het bord toe. Je bespaart honderden euro's op de potjes en de baby leert van je zelfgemaakte eten beter kauwen op kleine stukjes. Ook leren baby's veel verschillende smaken kennen waardoor het makkelijke eters worden. Als je een half jaar borstvoeding geeft, gevolgd door halfvolle melk en zelfgemaakte hapjes bespaar je in het eerste jaar ruim 1200 euro per kind. Ook belangrijk om te weten: baby's wijzen in eerste instantie alles af wat niet naar moedermelk smaakt. Het is niet nodig onmiddellijk te concluderen dat ze iets niet lusten. Probeer een paar hapjes te voeren terwijl je niet hun verbijsterde gezichtsuitdrukking overneemt. Glimlach, maak grapjes, neem zelf hapjes, en ga niet te lang door. Ze accepteren een smaakje pas nadat ze het ongeveer vijf keer op verschillende momenten aangeboden kregen. Ze moeten alles letterlijk leren eten.

Kinderen moeten één tot anderhalve liter per dag drinken. Maar wat? Ze mogen vruchtensap alleen met mate drinken. Frisdrank is niet aan te bevelen, met al die suiker (dikmakend en slecht voor de tanden), geur-, kleur- en smaakstoffen (die nergens voor nodig zijn) en koolzuur (slecht voor het gebit, veroorzaakt tanderosie). *Light* drinks bevatten, in plaats van veel suiker, cyclamaat of aspartaam (kunstmatige zoetstoffen). Het Voedingscentrum adviseert ouders dan ook kinderen te laten wennen aan het drinken van water. Water!

Per persoon gaat er in Nederland jaarlijks ruim dertig kilo snoep doorheen. Snoep en frisdrank zijn in zekere zin verslavend. Kinderen moeten daartegen extra beschermd tegen worden. Je kunt na goed overleg met kinderen eenmalig een besluit nemen hoe vaak je snoep uitdeelt en hoeveel. Zie erop toe dat daarna de tanden worden gepoetst. Hetzelfde geldt voor frisdrank. Goed overleg, regels opstellen - om de kwalijke gevolgen te beperken - en je er gewoon aan houden.

Met een fruitritueel reguleer je het snoepen ook. Maak er op een vast moment van de dag, bijvoorbeeld na school of 's avonds na het eten, een ritueel van om voor de kinderen fruit te schillen en in partjes uit te delen. Kinderen vinden het lekker, makkelijk en gezellig.

4.4 Natte en droge luiers

De zomervakantie is de tijd om tot rust te komen en allerlei leuke dingen te doen met je gezin. Het is ook het ideale moment voor het zindelijk worden van je peuter van ongeveer twee jaar. Het is 's zomers makkelijk en leuk, en als het lukt ben je een jaar eerder uit de luiers. Dat is beter voor het milieu en kan een boel geld besparen. De moderne mythe is dat zindelijk worden vanzelf gaat. Wij hebben toch heel andere ervaringen. De zomer rond het tweede jaar van een kind is het beste moment om ermee te beginnen. Maar vóór die tijd hebben we het kind al uitgebreid laten wennen aan het potje.

1: Zodra kinderen goed kunnen zitten (vóór hun eerste jaar) kun je ze twee of drie keer per dag op het potje zetten. Liefst op vaste tijden. Zelf deed ik het 's ochtends direct na het wakker worden, na het middagslaapje en 's avonds voor het slapen gaan. Ons potje was een ouderwets exemplaar uit de familie. Met een rugleuninkje en een riempje om de buik, waardoor ze lekker tevreden bleven zitten. En als ze wat in het potje deden kregen ze natuurlijk een pluim.

2: Is je kind al twee jaar of ouder, dan kun je ook zonder deze potjesvoorsprong beginnen met het helpen zindelijk worden. Zet je kind in elk geval 's ochtends direct na het wakker worden op het potje. Neem de tijd, sta desnoods iets eerder op. Blijf erbij, lees wat voor, doe een spelletje, maak er iets leuks van. Hebben ze iets gedaan: veel complimenten en eventueel samen het potje naar de wc brengen en legen.

3: Gebruik een paar vakantieweken om er echt voor te gaan. Leg vrolijk en vriendelijk de bedoeling uit aan je peuter: 'Je wordt al zo groot!', 'We gaan samen onderbroekjes kopen.', 'De luier gaat (overdag) uit.', 'Als je moet plassen graag op het potje.' Met drie zonen hadden wij een extra troef. Buiten mochten ze tegen de boom. Oudere broer of buurkleuter deed het voor: kijk, tegen de boom plassen is stoer!

4: Bedenk een beloning. Zelf maakte ik een spaarkaart. Elke plas in potje of bij de boom was goed voor een sticker, veel complimenten en knuffels. In het begin was 'op weg naar de boom' ook al goed. Een volle spaarkaart was goed voor een cadeautje: pakje Lego of iets naar keuze van de kleine onderbroekenman.

5: Ongelukjes zijn niet erg. Kan gebeuren, volgende keer beter. Geef zonder ophef schone kleren. Grijp niet terug naar de luier, dat is verwarrend en niet nodig. Laat overdag de luier uit, bescherm alleen als het echt nodig is de ondergrond (in de auto, op bezoek). Blijft het kind overdag droog, ga het dan na een maand of twee ook 's nachts proberen. Zeiltje in bed en weer een spaarkaart.

6: Als je kind rond tweeënhalf zindelijk wordt, in plaats van rond de drieënhalf, scheelt dat bij gebruik van de duurste luiers en doekjes al snel € 1.000.

Kleding is duur. Uit een onderzoek onder 5.500 scholieren van het voortgezet onderwijs blijkt dat een scholier gemiddeld ongeveer 51 euro per maand aan kleding uitgeeft. Minimaal een bedrag van ongeveer 42 euro is per maand echt noodzakelijk, vinden de scholieren. Minimaal, dus eigenlijk meer, vooral in gezinnen waar het inkomen hoger ligt. Tot en met het achttiende jaar geef je dus ongeveer 9.000 euro per kind uit aan kleren.

Daar is enorm op te besparen, vooral in de eerste jaren. Het beste is het als je mensen kent van wie de kinderen iets groter zijn dan de jouwe. Als je duidelijk maakt dat je graag hun te klein geworden outfitjes ontvangt, als je hartelijk bedankt (met bijvoorbeeld iets leuks voor hún kinderen) krijg je elk voor- en najaar een lading kleding. Je kunt ook naar de tweedehands kinderkledingbeurs, vaak georganiseerd door een stel slimme moeders in een buurthuis.

Kijk op www.kinderkledingbeurs.nl/ of er een beurs bij jou in de buurt is.

Meestal organiseren ze zo'n kinderkledingbeurs twee keer per jaar, vlak voor het winter- en zomerseizoen. Denk niet dat er weinig animo voor is: het loopt als een dolle. De dagen voorafgaand aan zo'n beurs kun je meestal spullen inbrengen. Er gelden min of meer vaste prijzen: 3 euro voor een sweater, 5 euro voor een broek. Vaak is de helft van de opbrengst voor de inbrenger, de andere helft voor een goed doel. Op de dag van de beurs staat vóór openingstijd vaak al een lange rij moeders met grote tassen. Je moet echt goed in je hoofd hebben wat je zoekt, want het vliegt weg. Meestal hangt de kleding op maat en op soort. Als je vroeg bent, heb je echt keus. Jasjes, pakjes, buggy's, autostoeltjes, alles. Als je zo'n markt hebt gevonden is het slim om de datum ruim op tijd in je agenda te zetten. Dan kun je in de week ervoor je kledingkasten uitmesten. Dus bijvoorbeeld vóór de herfstmarkt sorteer je al het zomerspul: wat kan ik volgende zomer nog gebruiken en wat gaat in de doos voor 'te klein'. Die doos bewaar je voor de voorjaarsbeurs. Dan bekijk je wat je nog hebt aan winterspul en voor wie. Zo weet je precies wat ontbreekt. Meestal is dat niet eens veel als je van diverse kanten kinderkleding krijgt toegestopt. Wat je op zo'n beurs niet aantreft kun je voor verjaardagen vragen, of alsnog kopen. Grotere kinderen kunnen mee naar de beurs en zelf dingen uitzoeken. Je kunt ze ook een budget geven. Het is leerzaam te zien hoe je voor een beperkt bedrag een hele seizoensgarderobe bij elkaar kunt shoppen. Ook tweedehands winkeltjes hebben prima kinderkleding, net als internetwinkels en Marktplaats.

4.6 Boeken en voorlezen

Kinderen hebben geen recht op merkkleding, laptops, fantasieloos speelgoed, snoep en vette snacks. Hoewel zij daar zelf mogelijk anders over denken. Zij hebben wel recht op lieve, verstandige ouders, goede gezondheidszorg en uitmuntend onderwijs dat aansluit op hun mogelijkheden. Én op mooie boeken. Al is je inkomen rond het minimum, mooie boeken lezen hoeft in dit land waar op zoveel wordt gescholden, geen probleem te zijn. Kinderen kunnen gratis of voor een paar euro lid worden van de bibliotheek.

Kinderen die elke dag voor het slapen gaan worden voorgelezen, oefenen in stilzitten, luisteren, concentreren, verbeelden en dingen onthouden. Ze leren nieuwe woorden en ontdekken hoe taal in elkaar zit. Dit zijn onbetaalbare vaardigheden die elke keer als ze iets leren van pas komen. Daarnaast heeft een voorgelezen kind heerlijke herinneringen aan die knusse één-op-één gezelligheid, met die ouder die er even helemaal voor hem is.

Een boek brengt gevoelens onder woorden die je kind misschien heeft ervaren, maar nooit kon benoemen. Kinderen kunnen verdwijnen in boeken, ervan leren dat er meer mogelijk is dan ze denken. Boeken kunnen levens veranderen. En hoewel ieder kind boeken kan lenen bij de bibliotheek, vind ik persoonlijk dat kinderen ook recht hebben op een eigen bibliotheekje. Geef boeken voor de verjaardag, of vraag ze aan opa en oma.

Goede, goedkope boeken

Elk jaar in oktober zijn de nieuwe 'Lijsters' van Uitgeverij Noordhoff weer te verkrijgen. Dat zijn boekpakketten met voordelige boeken voor scholieren van 6 tot 18 jaar. De ouders kunnen een pakketje bestellen, met kinderboeken passend bij de leeftijd en het leesniveau. De pakketten worden via school of direct aan de klant geleverd. Door de hoge oplagen en de rechtstreekse levering blijven de prijzen ongelooflijk laag. Op dit moment kost een pakket een kleine 20 euro voor vier tot zes boeken. Dat is maximaal 5 euro per boek! Dat geldt ook voor de literaire pakketten. Vraag na op school of zie: www.lijsters.nl

4.7 Verjaardagen en cadeaus

Wat geef je je kind voor zijn verjaardag? Neem eerst speelgoed 'op de proef'. Kijk of er een Speel-o-theek in de buurt zit. Voor een klein bedrag kun je daar regelmatig speelgoed lenen. Vooral handig voor het grote werk zoals trapauto's, glijbanen of winkeltjes. Leuk om een tijdje te hebben, maar je merkt dat kinderen er vaak ook weer snel op uitgekeken zijn. Je kunt ook uitproberen welk constructiespeelgoed in de smaak valt bij je kind: Lego, Duplo, Kapla, Knexx, Playmobil. Het leukste is namelijk om niet van alle merken een beetje te hebben, maar van één soort lekker veel. Heb je een favoriet gevonden, dan kun je dat mooi voor de verjaardagen vragen, waarmee je voorkomt dat je speelgoed in huis krijgt dat je zelf nooit zou kiezen (zoals auto's met zenuwverscheurende sirenes). Denk ook eens na wat voor speelgoed jouw eigen voorkeur heeft. Prikkelt het speelgoed de fantasie, doet het een beroep op inzicht, is het duurzaam, gaat het lang mee? Overweeg ook: speelgoed met batterijen blijft geld kosten en is slecht voor het milieu.

Stap voor kinderen 'die alles al hebben' eens een feestartikelenwinkel binnen. De nepdrol, nepinktvlek en het omgevallen glas limonade bestaan nog steeds. Suikerklontjes met een kunststof insect om in de thee van je tante te doen, poeder waarmee drinken over het glas gaat bruisen, de bril waarmee je er heel raar gaat uitzien, en ga zo maar door. En niet te vergeten het scheetkussen, waar bij ons jarenlang iedere argeloze bezoeker op moest plaatsnemen. Kosten: drie euro.

Aandacht besteden aan de sfeer en de voorpret rond een verjaardag is belangrijker dan de cadeaus. Zelf vertel ik veel over de tijd, zoveel jaar geleden, dat de jarige werd geboren. Alle kinderen vinden dat heerlijk. Je kunt ruim op tijd beginnen met vragen: wat zijn de wensen? Wat voor taart zie je voor je? Wie vraag je op je feestje? We hangen natuurlijk slingers op en we zingen. Nog steeds maak ik zelf een taart voor de jarigen, laatst nog een met twintig kaarsjes.

HOOFDSTUK 5: DE SCHUUR

Een schuur of bijkeuken lijken onbelangrijk, maar zijn het niet. Ze zijn de uitvalsbasis van de klusser. Blikken verf, kwasten, rollers, gereedschap, planken, latjes, spijkers, schroeven: allemaal nodig als je (besparende) dingen zelf wilt doen.

5.1 Durven en doen (zelf klussen)

Is het niet ideaal om lekker verzorgd, verwend, gepamperd en gevoerd te worden? Om al het werk aan een ander over te laten? Nee, dat denk je maar: zelf doen is leuker. Als kind en als jongvolwassene is het heerlijk allerlei handigheden te leren. Je kunt je eigen manier ontdekken, keuzes maken, dingen repareren die anderen zouden weggooien, hergebruiken. Je voelt je zelfstandig, onafhankelijk en trots. Ook een leuke bijkomstigheid: je leert de taal van de vakman; elke vaardigheid heeft haar eigen prachtige jargon. Zelf doen geeft voldoening. Soms zoveel dat het lijkt op geluk. Verder spaar je geld uit, veel geld.

Zo beschreven lijkt het of zelf doen alleen voordelen heeft en dat de samenleving er baat bij heeft als mensen zoveel mogelijk zelf doen. Maar dat is niet zo. Vanuit economisch perspectief word je gestimuleerd om naast je baan bijna niets meer zelf te doen. Met het verdiende geld kun je de rest láten doen. Kapotte spullen repareer je niet zelf, je brengt of gooit ze weg. Voor elektra hebben we de elektricien, voor verbouwingen de aannemer, de schilder en de timmerman. En maar werken om al die vaklui te kunnen betalen. Het is eigenlijk onbegrijpelijk.
Want nogmaals, zelf doen is leuk! Je bent eigenlijk gek dat je je al die klussen laat afnemen.

Op mijn lyceum leerde je bij natuurkunde welke kant de elektronen oplopen (van min naar plus geloof ik). Maar niet hoe je de simpelste stekker of schakelaar moet monteren. Toen ik, eenmaal op kamers, een schakelaartje in een snoer wilde zetten draaide ik de twee polen van het snoer in elkaar en schroefde alles keurig vast. Waarna tot mijn schrik met een knal de stoppen doorsloegen. De stop werd vervangen en bij de tweede knal begreep ik opeens wat ik fout had gedaan. Vanaf dat moment gold ik als expert, en heb ik bij veel vriendinnen lampen en andere apparaten aangesloten. Ook gaatjes boren is leuk, je hebt alleen het juiste gereedschap nodig. Natuurlijk moet je opletten dat je niet in een gas- of elektrabuis boort. Het grote voordeel van dit zelf kunnen is dat je het niet hoeft te vragen aan, of eindeloos hoeft te wachten op, de buurman of de dure vakman.

5.2 Huisonderhoud binnen

Een eigen huis vergt voortdurend onderhoud. Voor de grote posten (vervanging cv-ketel of een reparatie van het dak) hoor je geld te reserveren. Maar heel veel kleinere klussen kun je best zelf, vooral als je niet zó lang wacht dat er vanzelf een dure professional bij moet komen. Als bijvoorbeeld het kozijnhout gaat rotten is repareren kostbaar, en vervangen al helemaal. Voorkom dat door het onderhoud bij te houden. Dat werkt ook een stuk prettiger dan aan de slag moeten omdat je 'achter' bent. Goed onderhouden woningen behouden hun waarde beter.

www.Helpmijnmanisklusser.nl

1: Loop door en om het huis, inspecteer of kozijnen goed in de verf zitten, controleer kranen op lekkage, kijk of er dakpannen scheef liggen. Maak een lijstje van de klussen en bepaal wat je zelf kunt doen.

2: Heroverweeg het lijstje met klussen die je wilt uit-besteden. Ook al denk je dat er een vakman nodig is: veel technieken kun je jezelf best eigen maken. Misschien zijn er vrienden die willen helpen en bij wie je de kunst kunt afkijken. Of google op de klustechniek in kwestie. Zelf doen heeft enorme voordelen. Je hebt hart voor je huis en dus heb je er geen enkel belang bij een slecht stukje hout te 'verbergen' onder een lik verf. Je spaart het ar-beidsloon uit: een manuur komt al snel op 55 euro.

3: Pak niet alles tegelijk aan. Voorkom het 'Help-mijn-man-is-klusser-syndroom'! Doe altijd maar één klus tegelijk en maak die helemaal af. Zo voorkom je dat in alle kamers álles overhoop ligt en je het niet meer ziet zitten. Op een bezoekje van presen-tator John Williams zit je niet te wachten.

4: Onderhoud je materiaal en gereedschap. Ben je met kwast of roller aan de slag geweest? Maak eerst alle kwasten schoon voordat je aan het bier gaat na een dag hard werken. Het scheelt geld bij de vol-gende verfklus. Zet je kwasten een dag in een potje met terpentine of water (afhankelijk van het type verf). Was ze daarna met groene zeep, spoel ze uit en droog ze af. Rol de laatste verf van een verf-roller uit op een krant, spoel de roller uit in water of terpentine en hang hem aan de beugel te drogen.

Wat doe je met een gammele krultang? Een broodrooster die de bo-
terham niet meer omhoog gooit? Met een jas waarvan de rits stuk is?
Of met een computer die heel traag is? Weggooien? Niet als het aan
Martine Postma ligt. Zij bedacht het 'Repair Café'. Het begon met een
eenmalig evenement in 2009 in Amsterdam. Inmiddels is er elke week
wel ergens een Repair Café. Op de plek waar het Repair Café wordt
gehouden is gereedschap en materiaal aanwezig om alle mogelijke
reparaties uit te kunnen voeren. Op kleding, meubels, elektrische apparaten, fietsen, serviesgoed, gebruiksvoorwerpen en speelgoed. Ook is er
deskundige hulp aanwezig, zoals een elektricien, een naaister, een timmerman en een fietsenmaker. Dit zijn in principe vrijwilligers. Wat een
geweldig initiatief! Bezoekers nemen van thuis kapotte spullen mee. In
het Café gaan ze zelf aan de slag. Eventueel met hulp. Wie niets heeft
te repareren, neemt een drankje aan de bar. Of gaat helpen bij een reparatie van iemand anders. Of doet inspiratie op aan de leestafel, waar
boeken over repareren en klussen ter inzage liggen.
Het resultaat van repareren? Veel minder afval. Want in Nederland
gooien we ontzettend veel weg. Ook dingen waar bijna niets mis mee
is en die na een eenvoudige reparatie weer prima bruikbaar zouden
zijn. Helaas zit repareren bij veel mensen niet meer in het systeem.
Mensen weten niet meer
hoe dat moet. Repa-
ratiekennis verdwijnt
snel. Eeuwig zonde. In
het Repair Café wordt
waardevolle praktische
kennis overgedragen.
De grootste
winst is de
ervaring,
de kick

http://repaircafe.nl

dat repareren zo leuk is. Zelf heb ik het Repair Café bezocht met een oude, haperende maar dierbare staafmixer. We kregen hem tot mijn grote vreugde weer aan de praat. Op http:// repaircafe.nl/ kun je zien of en wanneer er een Repair Café bij jou in de buurt is.

Kijkers van het tv-programma Miljoenenjacht hebben vorig jaar kennisgemaakt met het Repair Café. In de show bracht Winston Gerschtanowitz een bezoek aan Repair Café Amsterdam-Oost. Hij vertelde dat er dit jaar al twintig Repair Café's zijn opgericht in Nederland, mede door steun vanuit de Nationale Postcode Loterij.

5.4 Huisonderhoud buiten

Toen wij pas een eigen huis bezaten en druk aan het werk waren om de kosten ervan bij elkaar te verdienen, moest het huis geschilderd. Jongens, wat is dat duur! Je denkt: dat hoort er allemaal bij en je betaalt met een zwaar gemoed. Stom, want bij de aankoop waren we eigenwijzer geweest. Gekocht zonder makelaar, met gezond verstand, scheelde ettelijke duizenden guldens. Waar de schilders mee vandoor gingen. En als het nu goed gedaan was, was het geld goed besteed. Maar schilders werken zo snel mogelijk, omdat het anders te duur wordt voor de klant. Het resultaat ziet er strak en glanzend uit, maar dat is slechts de bovenlaag. Schilders weten ook wel dat, als je het echt goed wilt doen, je er veel meer tijd in moet steken. Die tijd wil de klant niet betalen. Dan zit er maar een ding op: zelf doen. Je eigen tijd is gratis. Eerst het oude schilderwerk goed schoonmaken, dan alles schuren, afstoffen, zonodig vakkundig repareren, weer schuren en afstoffen. Dan twee lagen grondverf en minstens één mooie deklaag, en tussen alle lagen licht opschuren. Zelf het onderhoud van je huis doen? Niets loont meer. Je ziet alles met eigen ogen, ontdekt hoe je huis eraan toe is. Er is niemand die zoveel geeft om je huis als jijzelf. Daarom doe je het zelf altijd 't best.

Inbraakpreventie

Voorkom veel schade en ellende door aan inbraakpreventie te doen. Dat hoeft niet duur te zijn. Je kunt bij de politie in sommige gemeenten een gratis controle aanvragen. De politie komt dan kijken hoe inbraakgevoelig je huis is en geeft advies over het aanbrengen van beter hang- en sluitwerk. Vaak zijn er aanbiedingen van plaatselijke winkels aan verbonden. Een bord met 'hier waak ik!' met een plaatje van een gemene hond kost maar een paar euro en kan in elk geval geen kwaad.

Na het opvolgen van de adviezen van de politie ben je er nog niet. Vergeet niet alles goed af te sluiten voor de nacht. Ga zorgvuldig om met sleutels en laat ramen alleen op een kier als ze het juiste hang- en sluitwerk hebben.

Meer tips:

* Laat geen sleutels aan de binnenzijde van sloten zitten.
* Geen geld, waardevolle papieren en/of sieraden thuis achterlaten. In de kluis bij de bank liggen ze safe.
* Laat niet zien dat je weg bent. Plak dus geen briefjes op de deur en laat geen touwtjes uit de brievenbus hangen. Sluit geen overgordijnen en haal geen planten voor de ramen weg. Installeer (onzichtbare) tijdklokken op sommige lichtpunten.
* Laat de brievenbus regelmatig legen en laat de post neerleggen op plaatsen waar deze van buitenaf niet zichtbaar is.
* Zet ladders, vuilcontainers en andere dingen waar op geklommen kan worden weg.
* Gebruik registratiekaarten van de politie.
* Als je in de buurt iets verdachts ziet, schroom dan niet de politie te bellen. Noteer zo mogelijk kentekens en andere bijzondere kenmerken.
* Aarzel je al een tijdje om een hond te nemen? Zo'n waakse huisgenoot is de beste inbraakpreventie. Een kleine bastaardhond waakt even goed als een grote van een duur ras.

Kijk voor meer informatie op www.politiekeurmerk.nl

5.5 Woon-werkfietsen

Stel, je woont een kleine 20 kilometer van je werk. Je hebt geen recht op een (studenten) OV-kaart. Je werkt vier dagen per week, gedurende 40 weken per jaar. Fietsen heeft dan een indrukwekkende lijst voordelen:

FIETSERS ZIJN FITTE MENSEN. WANT ZE FIETSEN!

=> Het is snel. Je hoeft niet op het openbaar vervoer te wachten, zit niet in de stress of de bus wel komt. Je zit niet opeengepakt in een volle bus, als je al kunt zitten.

=> Je bepaalt zelf je vertrektijd. Als je iets later vertrekt is dat te compenseren door iets sneller te fietsen.

=> Je zit jezelf niet op te vreten voor bruggen, stoplichten, in files of andere opstoppingen.

=> De wind langs je hoofd geeft een vrij gevoel. Veel mensen krijgen hun beste ideeën tijdens het fietsen.

=> Je belast het milieu niet, veroorzaakt geen CO_2-uitstoot.

=> Als het echt giet kun je altijd nog een alternatief verzinnen. Maar volgens de statistieken van het KNMI regent het maar 6,5 procent van de tijd. En: de meeste regen valt naast je.

=> Afgezien van de fiets kost het je niets.

	ENKELE REIS	PER WEEK	PER MAAND	10 MAANDEN PER JAAR
OV chipkaart	€ 2,25	€ 18,00	€ 72,00	€ 720,-
Busabonnement 2 sterren *			€ 65,70	€ 657,-
Auto: benzine	€ 1,80	€ 14,40		€ 576,-
Auto: diesel	€ 1,30	€ 10,40		€ 416,-
Scooter: benzine	€ 0,90	€ 7,20		€ 288,-

* De OV-chip werkt niet meer met zones, maar bij busabonnementen nog wel. Het aantal zones bepaalt hoeveel sterren je nodig hebt voor aanschaf van je abonnement.

Vraag een gratis proefnummer van 'De vogelvrije fietser' aan op www.fietsersbond.nl. De site van de Fietsersbond heeft verder ook veel leuks en nuttigs te bieden. De Fietsersbond is de grootste belangenvereniging voor fietsers in Nederland met 30.000 leden. Wat woonwerkfietsen precies oplevert kun je zien op www.fietsenscoort.nl.

Je kunt je op deze site als particulier aanmelden en een paar vragen beantwoorden. Hoeveel kilometer is het fietsen naar je werk? Hoeveel fiets je recreatief? Beweeg je 30 minuten per dag? Daarna houd je dagelijks bij hoeveel je fietst. Op een persoonlijk overzicht kun je dan trots concluderen hoeveel benzine- en autokosten je hebt bespaard, hoeveel minder CO_2-uitstoot dat oplevert, hoeveel calorieën je hebt verbrand. Je ziet ook of je de Nederlandse norm bewegen inmiddels haalt, en je zo het risico op hart- en vaatziekten aan het verkleinen bent.

5.6 Band plakken

Zelf volgde ik als jonge student een echte fietsenmakerscursus. In de werkplaats hingen fietswielen met opgepompte banden aan een haak. Onze meester pakte voor ieder een wiel en sloeg zwijgend een kleine spijker in de band. Pssssssssssssss, alsjeblieft, ga maar plakken. Misschien heb je van je vader geleerd hoe een band te plakken. Zo niet, ga dan gewoon aan de slag.

Nodig: een bandenplaksetje, een 'lekverklikker' en/of een teiltje water. Zet de fiets op zijn kop en draai het ventiel en het velgringetje van de lekke band los.

Steek een bandenlichter (op zo'n 15 cm van het ventiel) tussen buitenband en velg en haak de bandenlichter vast achter een wielspaak. Doe hetzelfde wat verderop met een of twee volgende bandenlichters, om de buitenband los te krijgen. Trek de laatste bandenlichter voorzichtig langs de velg opzij onder de band langs. Zo komt de buitenband los van de velg. Duw vervolgens het ventiel naar binnen door de velg heen, en trek de binnenband door de kier naar buiten.

Herstel het ventiel en pomp de band op. Luister eerst of je het lek kunt horen. Er zijn kleine 'lekverklikkers' te koop, die een luchtstroom zichtbaar maken. Kun je het lek niet vinden, dompel de opgepompte band dan onder water in het teiltje. Begin bij het ventiel en zoek zo de gehele band af.

Heb je het lek gevonden, zet er dan met balpen een kring om (een natte band eerst droog maken). Laat de band leeglopen en maak de plek rond het lek ruw met een schuurpapiertje. Smeer dezelfde plek rond het lek dun in met solutie en laat dit 1 minuut drogen (of blaas het droog). Zoek of knip een plakkertje op maat. Haal het schutvelletje achterop het zelfklevende plakkertje weg en duw de plakker stevig op de solutie rond het gaatje. Pomp de band op om te controleren of het lek gedicht is. Desnoods dompel je de geplakte plaats weer even onder water. Demonteer weer het ventiel en doe de binnenband terug zoals hij zat. Leg de buitenband met de hand weer om de velg, te beginnen bij het ventiel. Werk beide kanten op. Het laatste stukje dat moeilijk terug gaat niet met een bandenlichter proberen terug te duwen. Dát leerde ik op de fietsenmakerscursus: rek de band als het ware uit met je handen, van het ventiel af, tot hij vanzelf in de velg springt.

Zie ook: www.hoe-doe-je-dat.nl/fietsband-plakken-video-tutorial.html

Wat bespaar je? Bij de fietsenmaker zou het plakken niet meer dan een tientje moeten kosten. Bij ons wordt het op één of andere manier altijd duurder. De binnenband wordt ongevraagd vervangen, of de buitenband, of beide. Je bent toch snel 15 tot 30 euro kwijt. Wie handiger wordt kan ook andere reparaties aan de fiets sneller zelf uitvoeren.

5.7 De auto

Besparen op autokosten kan op veel manieren.
- Een tweedehands auto is altijd veel voordeliger, in aanschaf, gebruik en afschrijving, dan een nieuwe. Het gunstigst is het een auto van ongeveer 2,5 jaar oud te kopen.
- Een kleinere auto is goedkoper in aanschaf en in gebruik.
- Rijden met een open raam kost veel energie. Open ramen verslechteren de stroomlijn van de auto. Hoeveel dit extra kost hangt onder andere af van de rijsnelheid. Het is ongeveer een halve liter brandstof per 100 kilometer.
- Na rijgedrag heeft het gewicht de grootste invloed op het brandstofverbruik. Een auto van 1.500 kilo met een lading van 100 kilo verbruikt wel 6,7 procent meer brandstof.
- Als je beslist een nieuwe auto wilt, kun je goedkoper uit zijn door flink te onderhandelen over de inruilwaarde van je oude auto, en bij meerdere bedrijven een offerte te vragen. Heb je geen auto in te ruilen, onderhandel dan over de 'geen-inruilkorting'.
- Op de kosten van het rijden zelf valt minstens 15 procent te besparen met behulp van het zogenaamde 'nieuwe rijden'. Dat houdt in: eerder doorschakelen, gelijkmatig in een zo hoog mogelijke versnelling rijden, de motor afzetten als je stil staat (ook bij korte stops) en maandelijks de bandenspanning controleren. Informatie bij www.hetnieuwerijden.nl

De zuinigste snelheid is 90 km per uur. Houd je sowieso aan de maximum snelheid en voorkom daarmee bekeuringen.

=> Schakel zo vroeg mogelijk op naar een hogere versnelling (tussen de 2.000 en 2.500 toeren). Dit geldt voor zowel benzine-, diesel- als lpg-auto's.

=> Als je snelheid moet minderen of moet stoppen voor een verkeerslicht, laat dan tijdig gas los en laat de auto in de versnelling van dat moment uitrollen.

=> Rijd 80 in z'n 5. Voor de auto's van tegenwoordig is het geen enkel probleem om met lage toerentallen te rijden. Bij benzine- en diesel- auto's kun je het best tussen de 2.000 en 2.500 toeren doorschakelen. Zolang de auto soepel rijdt, is dit niet slecht voor zowel de motor als de aandrijflijn.

=> Controleer maandelijks de bandenspanning. Een te lage spanning verkort ook de levensduur van de band en beïnvloedt de wegligging van een auto nadelig.

=> Kijk zo ver mogelijk vooruit en anticipeer op het overige verkeer, daar- door hoef je minder te remmen en op te trekken.

=> Zet bij korte stops, zoals voor een openstaande brug of spoorwegover- gang, of in een stilstaande file, de motor af. Start je weer, doe dit dan zonder gas te geven.

=> Maak, indien mogelijk, gebruik van accessoires zoals toerenteller, cruise control en boordcomputer.

HOOFDSTUK 6: DIE ZALIGE ZOLDER

Wat in huis niet kan, kan wel op zolder. Onze jongens speelden er met autootjes en ander speelgoed. Languit liggend op de vloer, zonder dat het speelgoed of de kinderen in de weg lagen. Inmiddels is de zolder een complete studentenverdieping.

6.1: Cash op zolder

Op je eigen zolder liggen misschien wel schatten verborgen. Dat zie je in elk geval vaak bij het tv-programma 'Cash op zolder'. De deelnemers gaan, geholpen door een taxateur, schatzoeken in hun eigen huis. Meestal sparen ze voor een speciaal doel (een verbouwing, een reis). De kijker is getuige van de speurtocht en het gepieker van de deelnemers. Als er dan iets waardevols wordt aangetroffen is meteen de vraag: houden of verkopen? Het hangt steevast af van de emotionele waarde. Van oma gekregen, zorgvuldig verstopt tijdens de oorlog: dat soort dingen doen we niet weg.

Maar in de meeste huizen is een sliblaag van bezittingen neergeslagen. Spullen, spullen, spullen. Ooit konden we niet besluiten om ze weg te doen. Ze belandden achterin de kast (wegens niet handig of niet mooi), verhuisden naar zolder, staan daar nog een paar jaar. En dan? Dan mogen ze weg. Bij ons thuis levert het flinke discussies op. Wij willen vooral elkaars dingen wegdoen en de eigen rommel behouden.

Begin eens met het helemaal leeghalen van een zolderkamer of vlie-
ring. Dat is al best een aardige klus in het voorjaar. Je kunt dan tenminste schoonmaken op plaatsen waar je normaal niet bij kunt en vervolgens gaan selecteren. Geef de dingen een van drie bestemmingen:
prullenbak, verkoop of een nieuwe, logische plek in huis.
Ga na waarom je moeite hebt met weggooien. Wanneer je herinneringen wilt bewaren kun je foto's maken van spullen en ze daarna wegdoen. Dan heb je de foto nog.
Is het vertrek eenmaal opgeruimd dan voel je je tien jaar jonger en vijf
kilo lichter (of omgekeerd). De spullen die je verkoopt kunnen nog aardig wat opleveren. Je kunt ze te koop aanbieden via Marktplaats. Een
paar verkooptips:

=> Maak een leuke tekst en geef zoveel mogelijk eerlijke informatie. Vermeld
hoogte, breedte, diepte, gewicht, kleur en beschadigingen.

=> Zonder een paar goede scherpe foto's van je koopwaar krijg je geen belangstelling.

=> Bedenk een richtbedrag dat je zeker wilt ontvangen. Zet een wat hoger
bedrag in je aanbodadvertentie en geef mensen de gelegenheid te bieden.

=> Plaats je aanbod op zaterdag- of zondagochtend. Mensen hebben dan de
tijd om te zoeken en om te besluiten, als ze jouw artikel willen hebben, het
direct dezelfde dag op te halen.

=> Houd de activiteiten (biedingen, e-mails) in de gaten, wees telefonisch bereikbaar.

=> Als je een redelijk bod krijgt: meteen contact opnemen en zaken doen. Probeer
voor dezelfde dag af te spreken. Het is niet aan te raden een afspraak over
vijf dagen te maken. In de tussentijd moet je mogelijk andere belangstellenden
teleurstellen en jouw vermeende koper komt misschien niet opdagen. Als de
advertentie er een paar dagen zonder succes op staat: weghalen en het
volgende weekend opnieuw plaatsen.

=> Is er na twee of drie weekenden geen koper, dan kun je het product beter
weggeven via www.gratisoptehalen.nl. Of... verpatsen op Koninginnedag.

6.2 Verkopen op Koninginnedag

Als je besluit te gaan verkopen, laat dan aan familie en vrienden weten dat je wil gaan 'staan' op Koninginnedag. Misschien hebben zij nog spullen die bij de handelswaar kunnen. Je zult verbaasd staan hoe hoog de stapel wordt als je in maart begint met het verzamelen van koopwaar. Misschien kun je samendoen met iemand, dat is gezelliger. Bereid je goed voor. Vraag aan ervaren verkopers wat een goede plek is om te gaan staan, en hoe laat (of beter gezegd hoe vroeg!) je de plek moet innemen. Houd bij het kiezen van een plek rekening met de stand van de zon. Ideaal is een plek waar 's ochtends de zon schijnt, en onder een afdak.

DEZE DINGEN MOET JE AFGEZIEN VAN JE HANDEL KLAAR LEGGEN:

=> Vrolijke oranje kleding
=> Een paar grote doeken of stukken plastic om de handel op uit te stallen. Of zo'n oranje zeil, misschien bij iemand te lenen.
=> Een tafel, voor als je ook eten aanbiedt.
=> Een vitrinekastje, voor kleine kostbare koopwaar.
=> Een kledingrek, voor als je veel kleding verkoopt.
=> Buiktasje voor het geld, of een geldkistje.
=> Een stoeltje voor de koopman of -vrouw.
=> Koffie of ander drinken en lunchpakket
=> Zonnebrand en zonnebril

Regel aflossing om de paar uur om naar het toilet te gaan en/of zelf wat te kopen.

Koninginnedag is een mooie gelegenheid om kinderen op een leerzame manier wat te laten verdienen. Ze kunnen spullen, snoep of etenswaren verkopen, bijverdienen door het vertonen van kunstjes, muziek maken, schminken, (dans?)les geven en spelletjes organiseren.

Laat kinderen uit hun kamer zoeken wat ze willen verpatsen. Bekijk de berg, bespreek wat de dingen gekost hebben en wat je ervoor gaat vragen. Oefen het onderhandelen heel concreet. Dit is echt leuk en leerzaam. Iemand vraagt naar de prijs van een ding. Die noem je snel en vriendelijk. De klant aarzelt en loopt door. 'Meneer, mevrouw! Wat hebt u er voor over?' Verkóóp, desnoods voor 10 cent. Oefen het betalen, klanten aankijken en bedanken.

Kinderen kunnen ook verdienen met behendigheidsspelletjes:
Ga zitten bij een emmer water met op de bodem een glaasje. De deelnemer kan wat geld in de emmer gooien (de inzet) en probeert dat in het glaasje te mikken. Als het lukt: inzet dubbel terug. Het geld dat naast het glaasje valt is voor de organisator. Geruststelling voor de organisator: het lijkt makkelijk maar het lukt bijna nooit.

6.3 Struinen op Koninginnedag of rommelmarkt

Ga je struinen? Zorg voor een 'boodschappenlijst' en een portemonnee gevuld met het begrote bedrag (voor een groot deel in kleingeld). Neem een aantal tassen mee in een stevige rugzak en een karretje waarop die tassen verreden kunnen worden. Kleed je lekker warm, maar zo dat je makkelijk iets uit kunt trekken. Als het even kan feestelijk in het rood, wit, blauw en/of oranje, dat stemt de handelaren mild. Hoe vroeger je de deur uit gaat, hoe groter je kans van slagen. Als je ooit kunt afdingen is het wel vandaag! Je kunt deze dag ook gebruiken om eens te oefenen met onderhandelen. Bied bij elke vraagprijs de helft en ontmoet elkaar halverwege vraagprijs en aanbod. Als je moeite hebt om in de onafzienbare bergen koopwaar, troep en rariteiten de pareltjes te spotten, kun je letten op de gezichten/kleding/uitstraling van de handelaren. Staat de persoon je aan, dan is de kans groter dat ze iets van je gading verkopen. En wie nog puf heeft: na drie uur 's middags laten veel handelaren hun boeltje in de steek, of zetten alles aan de straat. Je kunt dan nog een vrekkenrondje maken.

Struinen met kinderen

Maak samen met kinderen een 'boodschappenlijst'. Hoeveel geld wil/ mag het kind besteden? Begroot een bedrag voor onverwachte koopjes. Zorg voor feestelijke kleding en schmink vlaggetjes op de wangen van alle deelnemers. Wijs bij het winkelen op de relativiteit van modes en rages. Prullen die kortgeleden duur gekocht en verzameld werden liggen nu, compleet in de verpakking, voor bijna niks op straat. Kijk als ouder voor de zekerheid ook hier en daar naar kinderkleding, verkleedspullen, hoeden, pruiken, (kinder)boeken, skates, DVD's en duur constructiespeelgoed. Het is ongelooflijk, de duurste merkspullen liggen voor een tiende of twintigste van de nieuwprijs te koop. Kijk ook rond naar originele cadeautjes. Want wat je ook zoekt, vandaag kun je het vinden.

6.4 Schaatsen en skates

Volgens mij hoort schaatsen bij de opvoeding. Het is zo'n lekker positief Nederlands ding. Maar schaatsen zijn duur. Vooral als iedereen ze ineens wil hebben: als het gaat vriezen dus. Dan holt iedereen naar de winkel om snel voor passende schaatsen te zorgen. Zoals mijn moeder altijd al zei: ijs en vis moet je nemen als het er is.

Wacht dus niet met schaatsen regelen tot het vriest. Om te beginnen kun je bijtijds familieleden langsbellen met de vraag of zij nog wat hebben liggen op zolder. Wat voor schaatsen, welke maat, en mag je ze lenen of misschien zelfs hebben? Het loont de moeite gratis schaatsen die te groot of te klein zijn toch op te halen en op de eigen zolder op te slaan. Kinderen kunnen er ingroeien, of je kunt er mee ruilen. Waarschijnlijk heb je na een avondje bellen een noodvoorraad waarmee je een vorstperiode uit de voeten kunt.

Ontbreekt er nog een enkel paar, kijk dan snel bij de briefjes in de supermarkt. Vooral de minder moderne schaatsen worden voor schappelijke prijzen aangeboden.

Zit er niets voor je bij, kijk dan op www.marktplaats.nl. Schaatsen met dubbele ijzers voor kleuters worden daar aangeboden vanaf 8 euro. Moderne onderbindschaatsen staan te koop voor ongeveer 10 euro, net als lage leren noren, zelfs van topmerk Viking. Voor hockeyschaatsen met een kunststof schoen en dito noren worden prijzen vanaf 25 à 30 euro gevraagd, oplopend tot hogere bedragen voor goede merken of schaatsen die niet gebruikt zijn. Er zijn ook aanbieders die geen prijs noemen en vragen een bod uit te brengen. Als de schaatsen precies naar je zin lijken én dichtbij worden aangeboden, werkt het vaak het best om op te bellen en te gaan kijken. Zet een bedrag in je hoofd dat je maximaal wilt betalen. De aanbieders zullen het niet al te hard spelen, ze willen tenslotte van die schaatsen af. Verder kun je op rommelmarkten standaard opletten, ook in de zomer, of er goede schaatsen goedkoop worden aangeboden. Dat is bijna altijd het geval. Wanneer je je er op instelt kun je voor weinig geld schaatsen voor het hele gezin vinden, plus een paar tussenliggende maten. Die laatste zijn weer leuk voor volgend jaar, of voor schaatsloze vriendjes die vaak graag mee willen.

VROLIJK BESPAREN

6.5 Noodpakket

Als je toch de zolder opruimt, kun je misschien eens naar het volgende kijken. De overheid brengt regelmatig onder de aandacht om voorbereid te zijn op een noodsituatie. Zie www.nederlandveilig.nl/noodsituaties. Er zijn verschillende soorten noodpakketten in de handel, verpakt in een stevige schoudertas of in een waterdichte ton. De prijzen variëren dan ook van een euro of dertig tot honderden euro's. De meeste noodartikelen uit zo'n pakket liggen gewoon om ons heen. Je kunt dus voor weinig geld je eigen noodpakket samenstellen.

=> In watersportwinkels zijn tonnen te koop vanaf 12 euro. Een stevige tas heb je vast nog wel (cadeau gekregen bij een spaaractie van een bank ofzo). Maar je zou ook een verhuisdoos kunnen nemen, met daarin een grote vuilniszak of andere plastic zak.

=> Waarschijnlijk heb je nog een radio op batterijen, die met losse nieuwe batterijen in je pakket kan. Of, misschien voor je verjaardag vragen (leuk voor mensen die alles al hebben): een noodradio. Er zijn radio's met LED-lamp en gsm-oplader in één, met zwengel. Deze wordt dus met handkracht van energie voorzien. Te koop vanaf zo'n dertig euro. De radio moet worden afgestemd op de publieke regionale omroep. Zoek vast uit hoe het werkt.

=> Kaarsen heb je vast nog in huis. In de dure pakketten zit een doosje watervaste lucifers, maar een wegwerpaansteker is makkelijker. Voor de zekerheid ook maar een zaklantaarn met losse batterijen bijvoegen.

=> Fluit, schaar en 'multigereedschap' (ook wel inbrekersgereedschap genoemd, jaren terug eveneens cadeau bij een spaaractie). Of een uitgebreid zakmes en een stuk touw.

=> Het officiële pakket bevat een reddingsdeken, zo'n dunne lap van goudkleurig folie. Zelfs die lagen hier in huis nog ergens te slingeren, gekregen bij een verregend popfestival.

=> Een pakje speelkaarten.

=> Verbanddoos.

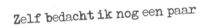

Zelf bedacht ik nog een paar dingen:

=> Wc-papier.

=> Water. Je kunt flessenwater op-
   slaan, maar ook een jerrycan nemen.

=> Er zijn speciale houdbare koeken
   te koop. Je kunt ook biscuit kiezen,
   of andere lang houdbare voeding
   zoals droge bonen en rijst.

=> Een campinggasbrander plus gas-
   tankje en pan. Een paar (camping)
   borden en bestek?

=> Maak kopieën van ID, verzeke-
   ringspapieren en sleutels.

=> Een buisje multivitaminen (€ 1,29
   bij Lidl). Koop daar eventueel ook
   een doosje paracetamol voor € 0,39.

=> Spelletjes en boeken?

6.6 Binnen de was drogen

Een wasdroger is een grote energiegebruiker in het huishouden: 16 tot 19 procent van het energiegebruik gaat hier naartoe. Afhankelijk van de soort droger ben je 40 tot 90 cent kwijt aan energie per droogbeurt, de afschrijving van de machine niet meegerekend. Wasgoed laten drogen aan waslijn of wasrek in plaats van in de droger kan leiden tot een besparing van 80 euro tot 160 euro per jaar.
Het snelste lukt dat natuurlijk buiten, in de wind (zie blz. 116). Maar binnen drogen kan ook prima, zolang het maar niet in de weg hangt.

Droog de was:
=> Op zolder
=> Aan een rekje dat aan de deur of in het trapgat kan hangen, daar kan veel op.
=> Aan een klein rekje dat aan de radiator kan hangen (voor klein wasgoed zoals sokken en ondergoed).
=> Aan een opklapbaar droogrek (in een A-vorm) of een 'droogtoren'.

Wij hebben een zelfgemaakt rek dat met katrollen naar het plafond in het trapgat gehesen kan worden. In het trapgat droogt de was enorm snel, omdat de warme lucht naar boven trekt. Om de was op te hangen laat je het rek zakken tot werkhoogte, ofwel de hoogte van de balustrade. Daarna hijs je het op tot bij het plafond. De langste dekbekhoezen hangen dan in het trapgat niet in de weg. We gebruikten een afgedankt Tomadorek en maakten de constructie zoals op de tekening.

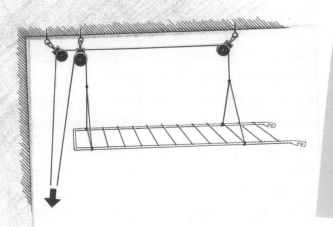

Zet bij binnen drogen wel altijd een raampje open. Als de lucht in huis te vochtig wordt kost het meer energie om het te verwarmen.

6.7 Huisdieren

Besparen op huisdieren is niet nodig, want je bespaart al een heleboel door een dier in huis te nemen. Uit onderzoek blijkt dat mensen met huisdieren een lagere bloeddruk hebben en minder last hebben van hoofdpijn, hooikoorts, slaapproblemen en verstopping. Het cholesterolgehalte in het bloed van huisdierbezitters is lager en ze hebben meer sociale contacten. Dat geldt vooral voor hondenbezitters. Het dagelijkse uitlaten staat garant voor een beetje beweging en voor contact met andere hondenbezitters.

Leren van ratjes

Sinds een poosje hebben we op
zolder nog een paar huisdiertjes.
Onze jongste zoon wilde ineens
dringend een paar ratjes. Die
hebben ons een paar erg leuke
consuminderlesjes geleerd.
De ratjes zelf waren gratis,
want een vriend van onze
zoon heeft er vele. Alberto en
Bonzino namen hun intrek
in een (nog aanwezige) kooi.
Zoon vond de kooi wel een
beetje klein.

Gelukkig kochten we geen
grotere, want er stond
ineens een wonderhok op
www.gratisoptehalen.
nl. Een voormalige boeken-
kast omgebouwd tot een
ratten-zeskamerwoning. Met
trappetjes, touwladder, sluip-
gangetjes, een boomstam en
een gesloten slaapkamertje.
Het geheel paste ternauwernood in de auto. 'Musopia!'*
riep zoon toen hij ermee ver-
rast werd. Je zou er bijna zelf in
willen rondkruipen.

* Musopia = is het muizenparadijs
waar de weggelopen muizen uit het
boek Otje (van Annie M.G. Schmidt)
naar op zoek zijn.

De beestjes voeren is een feest. Eerst maak je een schaaltje met wat sla, komkommer, wortel, havermout, noten en zaadjes. Op de onderste verdieping krijgen ze het stuk voor stuk toegestoken. Eerst de gezonde dingen (groenten) die ze aanvankelijk aanpakken en waarmee ze langs alle trappetjes naar boven rennen. Todat ze het derde stukje groente laten vallen ('nee dank je, deze hebben we al'), waarna ze de volgende hapjes naar boven brengen. Het allerlekkerst (een stukje kaas of worst) brengen ze niet weg, maar eten ze voor de zekerheid onmiddellijk op. Tenslotte nog wat zaadjes in hun voerbakje, en daar kunnen ze dan de rest van de dag mee toe. Ik vond dat ze best veel eten, hun voerbakje was steeds in no time leeg. Maar ze zien er slank uit, dacht ik, dus ze zullen het wel nodig hebben.

Tot we de kooi gingen verschonen. Het grote hekwerk ging open en alle kamertjes werden leeggehaald en opnieuw gevuld met 'vloerbedek-king' (die we deels gratis uit de natuur halen). Als laatste openden we het slaapkamertje bovenin. En daar kwam de grote verrassing: hun hele slaapzoldertje lag vol eten. Bergen eten! Je kon er gewoon de pot met zaadjes weer mee vullen. Die kleine diertjes, met hersentjes niet groter dan een doperwt, die sparen. Ze bewaren het grootste, houdbare deel van hun eten, voor 'je weet maar nooit'. Ze slapen heerlijk naast (of misschien wel op) die berg in de wetenschap dat hen niks kan overkomen als er schaarste komt. Ze eten niet meer dan ze nodig hebben en bewaren de rest en genieten ervan. Alleen de heerlijke kaas en worst kunnen ze niet weerstaan.

Sinds de crisis zijn er steeds meer mensen die slecht slapen of wakker liggen vanwege de zorgen. Wie greep heeft op de geldzaken slaapt al meteen beter. We kijken ook rond in de kledingkast en vertellen wat over ziek zijn en beter worden. In onze slaapkamer staat namelijk de EHBO-trommel. Kinderen met geschaafde knieën werden hier verbonden.

7.1 Niet piekeren maar aanpakken

Sinds de crisis tobben we over geldzaken. En niet een klein beetje. Uit onderzoek van Psychologie Magazine bleek dat een derde van alle Nederlanders elke dag piekert. Zeventien procent doet dat zo vaak dat het ongezond wordt. Je hebt dan eigenlijk constant stress: je gaat piekeren over te betalen rekeningen, een te verkopen huis, en wakker liggen om-

dat je vreest voor je baan. Je komt dus slaap tekort en gaat je uitgeput voelen. Krijgt daardoor minder weerstand en bent vatbaarder voor een depressie. En daarmee is het sombere kringetje rond.

Met al dat getob hoop je een oplossing te bedenken, maar eigenlijk werk je vooral hard aan een extra probleem. Je gedachten gaan in kringetjes. Bij elk rondje wordt het probleem groter. Net zoals bij Winnie de Poeh. Die liep samen met Knorretje gezellig rondjes te wandelen, om het lorkenbosje in de sneeuw, tot ze sporen ontdekten. Hoe kon het dat er een paar beesten voor hen uitliepen, ze hadden toch niemand gezien? Dat moest haast wel de Vreselijke Woezel zijn, mogelijk vergezeld door een Wizel. Hoe langer ze liepen, des te meer sporen ze vonden en hoe banger ze werden.

Arme Winnie, arme wij. We moeten niet bang zijn voor de zelf gecreëerde woeste Woezel. Niet piekeren, vooral 's nachts niet. Je ziet alles dan onrealistisch somber. Spreek met jezelf af: de eerste de beste nacht dat je niet kunt slapen omdat je piekert over geldzaken, sta je op. En je pakt je financiële papieren erbij. Maak een overzichtje van inkomsten en uitgaven. Wie echt problematische schulden heeft moet hulp zoeken. Wie een beetje achterloopt met betalen maakt een lijstje van de bedrijven die geld tegoed hebben. Die ga je bellen om een regeling af te spreken. Wie flink rood staat maakt een plan om dat binnen een jaar in te lopen. Wie geen spaargeld heeft en werkloosheid vreest gaat sparen voor een buffer. Voor allen geldt: hoe eerder hoe beter! Wie overzicht heeft en een plan maakt, kan direct beter slapen.

De mensen die het nog aardig redden maar bang zijn voor de toekomst kunnen gerust zijn. We zijn veel en veel rijker dan vroeger, worden niet dakloos, hebben geen honger (zijn eerder te dik) en kunnen met een beetje optimisme en creativiteit onze situatie meer naar onze zin maken.

7.2 Het beste bed

De echte consuminderaar heeft aan bedspiralen noch matrassen ooit gebrek. Vroeger stonden ze bij elke grofvuilronde, je kon de kwaliteit bij wijze van spreken uitzoeken. Verschillende keurige spiralen op pootjes sleepte ik van de straat. Spoot ze in primaire kleuren: rood, blauw. Zodat de kinderen een fleurig bed hadden en ze gebruik konden maken van hun mensenrecht: fijn springen op je eigen bed.

In de meeste gemeenten mag grof vuil niet meer aan de straat gezet, of alleen op afspraak. Daardoor is het aanbod fors gedaald.. Maar op een andere plek steeg het aanbod recht evenredig: op www.gratisoptehalen of www.gratisaftehalen (de eerste is de beste). Een bed van elk denkbaar soort en formaat is daar met een beetje geduld te vinden. Eén- of tweepersoons, van 2 tot 2.20 meter lang, van 1,2 tot 2 meter breed. Met spiralen, (verstelbare) lattenbodems, seniorenbedden, stapelbedden, hoogslapers: you name it. Luxe of eenvoudige matrassen, soms met beddengoed en al.

www.gratisaftehalen

Zelf schakelde ik jaren geleden over op een waterbed, omdat het goed zou werken bij rugpijn. Alleen zou die plens water met een verwarmingselement dag en nacht op temperatuur gehouden moeten worden. Bijna onverdraaglijk voor een vrolijke bespaarder: al slapend geld liggen uitgeven aan elektriciteit! En niet weinig: waterbedden schijnen stroomvreters te zijn.

Ik begon te experimenteren met een isolerende laag tussen matras en laken. Een afgedankt donzen dekbed, een slaapzak: de thermostaat kon steeds een paar graadjes lager. Uiteindelijk pakte ik het matras in met een laag bubbeltjesfolie (transparant plastic met luchtkussentjes). Daarover diverse lagen textiel, een matrashoes met schapenvacht (ooit in de aanbieding bij de Lidl) en dan het laken. Sinds een jaar of acht staat de verwarming van het bed helemaal uit. Door alle lagen zak je er iets minder diep in weg, is het wat stabieler. Persoonlijk vind ik dat juist prettig. De folielaag reflecteert je eigen lichaamswarmte, precies als in een gewoon bed. Je eigen temperatuur: die is altijd goed. En gratis.

7.3 Eerst lezen, dan slapen

Voor mij is lezen het ideale slaapmiddel. Op tijd naar boven en al lezend het drukke brein kalmeren. Eerst meerdere kranten en daarna het boek waar ik in bezig ben.

Aan het begin van een lezing vertel ik vaak hoe de consuminderlevensstijl zich bij mij heeft ontwikkeld. Dat ik me van jongs af aan eigenlijk rijk heb gevoeld, en dat dit gevoel los blijkt te staan van het inkomen. Ook toen ik moest rondkomen van een studiebeurs voelde ik me bevoorrecht. Steeds meer kom ik erachter dat een rijk gevoel bij mij niet samenhangt met het geld dat je verdient of gespaard hebt, maar met de boeken die een rol spelen in je leven. Boeken geven mij een rijk gevoel. Dat heb ik mede aan mijn ouders te danken. Het onderwijzersalaris van mijn vader zal echt niet overdadig zijn geweest, toch werden wij overladen met boeken. Boeken die ook nog eens met zorg voor ieder kind waren uitgezocht. We kregen de moderne kinderboeken die toen voor het eerst verschenen: *Pippi Langkous* en de schitterende boeken van Tonke Dragt. De overstap naar volwassen literatuur ging geleidelijk, via Carmiggelt, Bob den Uyl en Wolkers naar Reve.

Ik heb overwogen Nederlands te gaan studeren en liep daartoe een weekje mee op de universiteit. Na het meedoen aan een enkele opdracht begreep ik dat ik zo niet wilde lezen. Zo berekenend, zo analytisch. Met pen en papier erbij om opvallende punten meteen te noteren.

Lezen zou werken worden. Terwijl het voorheen het enige was waar ik zonder schuldgevoel gulzig in kon zijn: me lavend aan mooie woorden, me wentelend in overvloed. Het was mijn lust en mijn leven, mijn ontspanning en troost, los van prestatiedwang, en ik wilde dat zo houden. Een verrukkelijke tijd brak aan toen ik studeren en werken combineerde. Ik verdiende zo'n 1000 gulden (eind jaren '70) en tenminste tien procent besteedde ik maandelijks in de plaatselijke boekhandel. De liefjes kwamen en gingen, maar de gang naar de boekhandel bleef.

'Als je zo'n lezer bent, waarom leen je ze niet in de bieb?' vroegen mensen mij regelmatig. Hier haal ik de Gouden Bespaarregel van stal: besparen is geen doel op zich. Je spaart op het ene terrein om op het andere iets te kunnen doen. Ik zie het als eerste levensbehoefte om die boeken in huis te hebben. Ik lees ze vele malen, wil ze kunnen pakken. Ook broodnodig voor iemand die schrijft.

Dat rijke gevoel, die heerlijke luxe je te laten meeslepen in prachtige verhalen, de mogelijkheid te lezen over alle feiten en zaken waar je meer van wilt weten, het vinden van praktische aanwijzingen voor het oplossen van problemen (je komt boeken tegen die je leven veranderen), het weldadige gevoel dat je hebt als er beschreven staat wat jij altijd al vaag dacht, maar nooit kon verwoorden.

7.4 Kasten vol kleding

Het Nibud begroot voor kleding ongeveer 60 euro per persoon per maand voor een gemiddeld gezin. Als je dat geld in je zak houdt, kun je dus een vermogen besparen op kleding. Het hangt van de persoon, je instelling en je werk af of modieuze, representatieve kleding echt nodig is, of gewoon op prijs wordt gesteld. Maar ook als je modebewust bent hoef je niet altijd te shoppen.

Laura de Jong, student aan het Fashion Institute, deed voor haar afstudeerscriptie onderzoek naar kleding-koopgedrag. Het blijkt dat wij 80 procent van de tijd slechts 20 procent van de kleding die in ons bezit is dragen. Er wordt kortom ontzettend veel gekocht dat eeuwig in de kast blijft liggen. De Jong bedacht met docent Frank Wijlens de Free Fashion Challenge. Ze zochten naar deelnemers die bereid waren een jaar lang geen nieuwe kleding te kopen. De motivatie hierachter was de kleding die je al hebt beter te benutten, slimmer te combineren, als reactie op de wegwerpcultuur. Toen het experiment van een jaar voorbij was, hadden de meeste deelnemers helemaal niet de neiging meteen naar de winkel te rennen voor een nieuw jurkje. Door het experiment waren ze gedwongen veel bewuster over mode na te denken. De conclusie was dat het moet gaan over kwaliteit en creativiteit.

Laura de Jong vertelt dat haar grootouders heel trots waren op het project van hun kleindochter. Zij begrepen nooit veel van het doorgeslagen consumentisme. Zoals velen van hun generatie dachten zij altijd al goed na voor ze iets kochten. Andere deelnemers noemden zichzelf 'genezen' van het overhaast kopen van kleding. De docent Wijlens, begeleider van het project, vertelde dat hij na het jaar niet-kopen voor het eerst van zijn leven niet rood stond.

De Amsterdamse De Jong tipte om niét naar de kekke vintagewinkels in het centrum te gaan en ook andere al te hippe winkels te mijden, maar om juist gewone tweedehands kledingwinkels en zelfs weggeefwinkels in de buitenwijken te bezoeken.

365 DAYS WITHOUT
SHOPPING
TO REDISCOVER
MY CREATIVITY AND
PERSONAL STYLE

Een andere tip: ga als vriendinnen af en toe winkelen in elkaars kledingkast. Of organiseer een kledingruilbeurs onder vriendinnen. Spreek af op een centraal adres. Neem mee wat je kwijt wilt. Er zijn vriendinnengroepjes die een heel systeem hebben. Het aangeboden stuk wordt omhoog gehouden en belangstellenden kunnen zich melden. Bij meer belangstelling wordt er geloot.

7.5 Kleding kopen

Voor je kleding gaat kopen zou je eigenlijk verplicht je kast moeten uitmesten, om te voorkomen dat je iets koopt voor die berg van 80 procent van de kleding die achterin de kast verdwijnt. Om de kledingkast goed op te ruimen kun je het beste besluiten om kledingstukken die je toch nooit (meer) aan hebt, weg te doen. Sorteer alle kleding en maak drie stapels. 'Hopeloos uit de mode' gaat naar de goededoelencontainer. Wat nog goed en redelijk modieus is, maar wat je om één of andere reden toch niet draagt, kun je naar een tweedehands kledingwinkel brengen, te koop aanbieden op internet of ruilen met vriendinnen. Blijft over de kleding die je wilt houden. Wees meedogenloos en doe alles weg wat je de laatste twee jaar niet meer hebt gedragen. Bewaar geen kleding 'voor als ik een paar kilo kwijt ben' of waarvan je verwacht dat het ooit weer in de mode komt.

Inbrengen bij tweedehands winkel

Als je je openstelt voor de mogelijkheid van tweedehands kleding, gaat er een wereld van bespaarmogelijkheden voor je open. Vergis je niet, er zijn ook chique tweedehands winkels, waar kwaliteitskleding wordt ingebracht door mensen die er op uitgekeken zijn. Je zult verbaasd zijn

over wat je daar kunt vinden. Google op 'tweedehands kleding' in combinatie met je woonplaats. Het is gangbaar dat er bepaalde tijdstippen zijn waarop je kleding kunt inbrengen; meestal tijdens de rustige uurtjes in de ochtend. Vrijwel zeker niet op zaterdag. Zoek dat eerst uit en ga niet zomaar op pad met een stel enorme zakken. Weet ook dat bij alle winkels de regel geldt dat de eigenaresse of leidinggevende zonder discussie uitmaakt wat wordt ingenomen en wat niet. Eerste stelregel: in het voorjaar breng je zomerkleding in, in het najaar winterkleding. De kleding moet schoon en heel zijn, geen slijtplekken of vlekken vertonen, het goede aantal knopen hebben en (indien van toepassing) een goed werkende rits. Ook moet de kleding modern zijn. Je kunt in de winkel meteen rondkijken of er wat voor je bij hangt.

NIEUW KOPEN

=> Als je dol bent op merkkleding kun je kijken bij de Outletstore. In deze winkels is merkkleding 40 tot 70 procent goedkoper dan elders. In Lelystad is een winkelcentrum dat geheel uit outletstores bestaat, 'Bataviastad.' Hier zijn niet alleen winkels met merkkleding, maar ook met designerspullen, serviesgoed, cadeauartikelen, schoenen, dvd's en dergelijke. Bataviastad is zeven dagen per week open en heeft voldoende gratis parkeergelegenheid.

=> 'Modebranche siddert voor Primark', las ik in de Volkskrant. Primark is een prijsvechter, die winst maakt door in te zetten op een hele hoge omzet. Primark werkt internationaal, ontwerpt alles zelf en houdt de kosten en dus de prijzen laag. Zeer laag, een winterjas kan afgeprijsd worden van 20 naar 11 euro. Op dit moment zijn er drie filialen in Nederland: in Rotterdam, Hoofddorp en Zaandam.

=> Koop 'tegen de seizoenen in', dus in het voorjaar voor de winter, in de herfst voor de zomer.

7.6 Ziek en zielig

Zieke kinderen werden bij ons beneden op de bank verpleegd, óf in het grote bed. Ik vond het altijd wel wat hebben. Als kinderen ziek zijn (niet gevaarlijk, maar bij een flinke griep) heeft dat een paar heerlijke voordelen. Ze hebben je even weer ouderwets nódig. Vooral als het om kleine kinderen gaat. Die liggen koortsig tegen je aan, maken geen ruzie en geen lawaai, laten zich duimend voorlezen en gedwee lammetjespap voeren.

Het zieke kind mag en moet natuurlijk verwend worden. Maar het is zinnig eerst uit te zoeken of het kind echt ziek is, of dat het gewoon een keer een snipperdag en lammetjespap wil. Bij ons is in de loop der jaren het volgende beleid tot stand gekomen:

=> *Bleek een kind gewoon een vrij dagje te willen, dan zochten we uit of er geen belangrijke lessen of proefwerken werden gemist. Dan mocht de geluksvogel wel een dagje thuisblijven, zij het slechts één keer per jaar.*

=> *Was het kind wél ziek, maar had het geen koorts en liep het niet lang daarvoor nog vrolijk te doen: dan mocht het verwend worden in bed, maar absoluut niet achter de computer. Wanneer je achter de computer kunt zitten, kun je ook naar school. We willen natuurlijk allemaal dat die kinderen geen slapjanussen worden, maar leuke positieve sterke gezonde vrolijke bespaarders.*
Voor verbanddoos en medicijnen: zie blz 120 (badkamer).

Gevallen

Kinderen met geschaafde knieën en andere lichte verwondingen werden meegenomen naar de slaapkamer, waar de EHBO-kist in de kast staat. Het is ontzettend nuttig wat grondbeginselen van EHBO te kennen. Je hoeft dan niet voor elke splinter naar de dokter. En dat je bijvoorbeeld weet hoe je een ontstoken nagel of muggenbult weg krijgt met een nat verband. Maar het is ook heel erg prettig als je weet wanneer je onmiddellijk wél naar de dokter moet. Zie ook het boek 'De eerste hulpcoach' van Ilse Ariëns.

www.rodekruis.nl/EHBO

Op www.rodekruis.nl/EHBO kun je gratis een app en een pdf downloaden met eerste-hulpbeginselen.

7.7 Geld en relatie

Er wordt in relaties meer ruzie gemaakt over geld dan over het huishouden of de kinderen. Drie van de vijf stellen maken ruzie over geld. De meeste conflicten gaan over aankopen van de vrouw. Het blijkt dat mannen en vrouwen anders over geld denken. En dat echtelieden de nodige geheimen voor elkaar hebben, geldgeheimen wel te verstaan. Wel één op de drie vrouwen en één op de zes mannen heeft een geldgeheim. Spaarpotjes waar de partner niets van weet, bijvoorbeeld.

GELD EN RELATIE, BETER MET GELD OMGAAN EN RUZIE VOORKOMEN

=> Ga na: hoe denk je zelf over geldzaken?

=> Kies een goed en rustig moment om te praten, niet als er al ruzie is.

=> Begin met de positieve kanten, wat gaat er wel goed met de geldzaken?

=> Maak eerlijke afspraken, dat voorkomt ruzie in de toekomst.

=> Degene die meer verdient dan de ander zou meer op de gezamenlijke rekening moeten storten. En/of spreek een gelijk bedrag af dat ieder vrij kan besteden.

=> Of laat ieder een eigen rekening houden en in verhouding met het inkomen betalen aan het huishouden.

=> Laat soms de één, dan de ander de financiële administratie doen.

=> Zorg voor kleine leuke dingen in de relatie. Dat kan met Sint, Kerst, Complimentendag, Vaderdag, Moederdag, Valentijn of elke willekeurige dag.

De onderwerpen waar geldruzies over gaan zijn eigenlijk heel fundamenteel. Waar moet het geld aan besteed worden? En wie is uiteindelijk de baas over de centen? De één verwijt de ander vaak het geld over de balk te smijten. De spaarder is boos op de spender. Of omgekeerd: de ander verwijt de één dat hij of zij krenterig is. Daarnaast is er ruzie over de verdeling van de kosten: wie brengt hoeveel in? Dit soort ruzies betekenen een forse knauw voor de relatie. Eén op de vijf stellen die gaan scheiden doet dat (mede) vanwege conflicten over geld (Bij zestig procent is 'niet goed met elkaar kunnen praten' de reden). Voor kinderen is dit op alle fronten vervelend. Ze zijn getuige van ruzie tussen de ouders en dat geeft een onveilig gevoel. Daarbij: als de ouders het niet eens kunnen worden over hoe ze met geld omgaan, hoe moeten de kinderen het dan leren?

Het is niet verwonderlijk, al die misverstanden over geld. Partners weten van zichzelf nauwelijks hoe ze erover denken, laat staan van elkaar. Slechts de helft van de stellen maakte afspraken over geldzaken, toen ze gingen samenwonen of trouwen. De stellen die dat wel deden maakten voornamelijk afspraken over een gezamenlijke betaalrekening. Hoe langer mensen samenwonen, hoe minder vaak het voorkomt dat ze er een eigen rekening op na houden. De meesten gooien uiteindelijk al het geld op één hoop.

Verras geliefde, huisgenoten of iemand anders die je eens wilt verwennen met een etentje, een zelfgebakken taart, een kaart, hartsnoepjes, of schrijf iets op de spiegel met zeep.

HOOFDSTUK 8: BADKAMER EN BALKON

's Ochtends loop je, half slapend nog, de badkamer binnen. Veel mensen slapen nog een poosje verder, onder de douche. Het wassen, douchen, haren wassen, opmaken, was drogen, het kiezen van een zeep, wasmiddel of shampoo gebeurt niet altijd heel alert of bewust. Terwijl het water door het putje stroomt, gaan er heel wat grappige bespaarmogelijkheden mee.

8.1 Badderen en douchen

Bij dit onderwerp moet je weer even teruggaan naar hoofdstuk 1, het stuk over prioriteiten. Het is een feit dat (lang) douchen en badderen veel energie kosten. Er moet schoon water voor geproduceerd worden en dat water moet ook nog eens met gas verwarmd worden. Aan de andere kant: op de huishoudbegroting zijn de kosten voor water zelden zorgwekkend en de hoeveelheid brandstof die nodig is om het water te verwarmen vallen mee. Ga nog eens bij jezelf na: op welke posten wil ik besparen? Dure etentjes en vakanties? Je kunt jezelf en vooral puberkinderen hun warme douche ook gunnen en dit onder het hoofdstuk 'onschuldige vrij voordelige genoegens' scharen. En wéér aan de andere kant: alle beetjes helpen, dus als je wilt besparen in de badkamer kan dat heel goed.

=> Een normale, platte douchekop verbruikt tussen de 11 en 13 liter water per minuut. Een waterbesparende douchekop doucht net zo comfortabel en vermindert het jaarlijkse warmwaterverbruik met 8.600 liter. Het verbruik ligt rond de 4,5 liter per minuut. Hierdoor bespaar je dus meer dan de helft op je waterkosten. Wanneer je dagelijks doucht, kun je ongeveer 50 euro per persoon besparen. Er zijn ook bespaarkoppen beschikbaar voor kranen. Hiermee kun je het waterverbruik met 40 tot 50 procent reduceren. Check in de winkel of de douchekop die je wilt kopen past bij je toestel voor warmwater.

=> Als iedereen elke dag een minuut korter doucht, besparen we in Nederland jaarlijks 28 miljard liter water en 126 miljoen m³ gas.

=> Heb je lang haar? Doe de douche uit als je shampoo in je haar doet. Maak je veel werk van inzepen? Doe de kraan dicht terwijl je je aan het inzepen bent.

=> Je kunt ook om de dag douchen en/of op de andere dagen een washandje gebruiken. Stem je douchedagen af op mogelijke bezoeken (en douchemogelijkheden) aan de sportschool en of zwembad.

=> Tijdens het scheren laten veel mensen de kraan lopen. Je kunt ook wat water in de wasbak doen en zo het scheermes schoonspoelen. Sommige mannen scheren zich onder de douche.

29 procent van de mensen staat korter dan 7 minuten onder de douche, 31 procent houdt het 8 tot 10 minuten vol en de meeste mensen (41 procent) douchen 11 minuten of langer.

8.2 Tanden poetsen

Niemand vindt het leuk om naar de tandarts te gaan. Dat is een gegeven waar je op verschillende manieren op kunt reageren. Ongeveer een
half miljoen mensen in Nederland gáát gewoon niet. Dat zijn jongeren en ouderen en zowel laag- als hoogopgeleiden. Er ontstaan steeds
meer gaatjes, ontstekingen en problemen, wat de drempel om te gaan
steeds hoger maakt. Deze mensen hebben vaak pijn, kunnen niet meer
genieten van eten, en raken geïsoleerd. De grootste groep Nederlanders
gaat wel regelmatig op controle, laat als het moet een gaatje vullen, en
zet de hele kwestie direct na thuiskomst opgelucht van zich af. Zo, hier
hoeven we weer een half jaartje niet aan te denken! We nemen ons
misschien nog wel voor om vaker te flossen en beter te poetsen, maar
dat voornemen houdt nog geen week stand.
Dat is ontzettend zonde. Want als je een paar kleine veranderingen
aanbrengt in je gedrag heb je de zaak onder controle. Met een paar

kleine trucjes dwing je jezelf op vaste tijden, lang genoeg (3 minuten) en met een goed systeem te poetsen. Een elektrische borstel verbetert de techniek enorm. Verder wat extra letten op frisdrank en snoepen en: klaar. Als je bij de eerste controle geen gaatjes hebt kun je de frequentie van de controles verlagen naar één keer per jaar, en bang hoef je überhaupt niet meer te zijn. Mensen die rechtshandig zijn hebben rechts meer

Dit helpt:
=> *Beter één keer per dag of per week veel zoetigheid dan vele malen per dag een beetje.*
=> *Drink gezond (water, thee, melk en met mate limonade) in plaats van frisdrank.*
=> *Als je toch frisdrank drinkt, sla het dan zo snel mogelijk achterover en laat het niet door de mond gaan. Spoel na het drinken van frisdrank de mond met water.*
=> *Poets wel twee keer per dag, maar niet te stevig en met een zachte borstel*
=> *Poets niet vlak na het drinken van frisdrank..*

gaatjes, omdat ze altijd links beginnen met poetsen en zich steeds minder goed concentreren. De binnenkant van het gebit wordt minder goed gepoetst dan de buitenkant, de ondertanden minder goed dan het bovengebit. Poets dus met een systeem:

- eerst binnenkant onderkaak, van links naar rechts;
- dan binnenkant bovenkaak, van links naar rechts;
- dan buitenkant onderkaak van links naar rechts;
- tot slot buitenkant bovenkaak van links naar rechts.

8.3 Haar knippen en verzorging

Haar knippen
Zelfs voor zo'n kinderkapseltje van niks vroeg de kapper 25 gulden, twintig jaar geleden. En nu dus 25 euro. Eerst knipte ik de kinderen voor de vuist weg gewoon zelf. Maar dat begon vanwege de scheve

WIL JE TOCH NAAR DE KAPPER?

Je kunt kiezen voor een kapsel dat niet vaak geknipt hoeft. Voor jongens houdt dat in: een korte coupe die makkelijk met de tondeuse gekort en bijgehouden kan worden. Voor meisjes: langer haar. Daar kun je er van alles mee doen, zoals vlechtjes erin maken of het opsteken. Leerlingkappers van de kappersopleiding knippen goed (want onder deskundig toezicht) en goedkoop (want ze zijn blij met modellen). Kijk in de telefoongids van de dichtstbijzijnde grote plaats onder 'kappersvakschool' en vraag of ze modellen nodig hebben. Of kijk op www.kappersakademie.nl, daar zijn kappersscholen in de grote steden te vinden. Dames of heren knippen kost daar minder dan 12 euro.

pony's op te vallen. Ik volgde een cursus en bekwaamde mij in één soort kapsel voor jongens. Knippen is leuk. Je hebt natuurlijk een goede schaar nodig. Op de cursus kocht ik een echte kappersschaar, een tondeuse en een kapmantel. In de zomervakantie knipte ik alle kinderen waarvan de moeders het aandurfden. Ze gingen er allemaal een beetje hetzelfde uitzien. Je kunt in elk geval enorm besparen door zelf te knippen.

Shampoo

Op shampoo is een boel te besparen, als je niet al te zeer hangt aan een speciaal duur merk. Je kunt eens een shampoo van het Kruidvat proberen. De voordeligste 'Iedere dag shampoo' kost daar € 0,68 per 500 ml. Jaarlijks gebruiken wij in Nederland 19 miljoen liter shampoo en gooien daardoor 50 miljoen lege flesjes in de vuilnisbak. Het is voordeliger en beter voor het milieu om een grotere fles te kopen (met 500 ml inhoud bijvoorbeeld) en daar langer mee te doen. Je kunt de shampoo overgieten in een fles met een kleiner gaatje, dan gebruik je vanzelf minder. Ook kun je misschien je haar minder vaak wassen. Kappers adviseren: niet vaker dan één à twee keer per week.

Make-up

Het is absoluut niet zo dat de duurste merken het beste zijn. Bij het tv-programma Kassa werd mascara (blind) getest door visagisten. Uitslag: de duurste mascara, merk Lancôme Paris, kreeg een schamele 6,4 als waardering. De Volume Mascara van Etos, zeven maal goedkoper, kreeg het hoogste cijfer: een 8. Kijk per product hoe de prijs en de kwaliteit je bevalt. Gezichtscrème is te koop in alle soorten en maten. De prijzen liggen tussen de 2 en 200 euro. Antirimpelcrème met vitamine E van het Kruidvat kwam ooit goed uit een serieuze test van het AD. Houd dus ook voor verzorgingsproducten consumententesten in de gaten. Voor crèmes en tandpasta geldt: maak de tubes goed leeg door ze open te knippen. Zonde om de achterblijvende 10 procent steeds weg te gooien.

8.4 Wasmachine

Ik denk dat het wassen van kleding een soort ritueel is geworden, in plaats van een noodzakelijke schoonmaakbeurt. Veel mensen hebben de gewoonte alles wat ook maar een halve dag is gedragen in de was te gooien. Sommige kinderen gooien schone kleding in de was omdat ze geen zin hebben om het opnieuw op te vouwen. Kleding zonder vlekken kun je op een hangertje laten luchten en mogelijk zelfs weer opvouwen.

8.5 De was in de wind

Was buiten

Buiten de was drogen heeft veel voordelen. De was ruikt lekkerder en het scheelt nogal wat geld. Buiten drogen in plaats van in de droger bespaart 80 tot 160 euro per jaar op je totale energiegebruik, zoals we op zolder ook al zagen.

Kan de was naar buiten? De vooroorlogse methode gaat zo. Kijk naar de blauwe lucht en de hoeveelheid wolken. Als er een matrozenkiel uit het blauw kan, dan kan de was naar buiten. Volgens de moderne methode kijk je op www.buienradar.nl

Maar ook al regent het niet, het is niet zeker dat er voldoende 'droog' in de lucht zit. Kijk hiervoor naar de stoeptegels. Drogen ze op, dan kan de was buiten drogen. Blijven de tegels donker en vochtig dan schiet het drogen van het wasgoed buiten ook niet op. De was droogt goed als het niet regent, niet te koud is en er een lekkere wind staat.

Investeer in een goede waslijn, een met een stalen kern. Houd de waslijn goed schoon. Een vieze waslijn kan lelijke strepen achterlaten op de schone was. Maak het jezelf makkelijk en zorg voor een plek waar de wasmand ter hoogte van je middel kan staan. De was steeds uit de mand vanaf de grond moeten vissen geeft onnodige belasting van je rug (we zijn niet alleen zuinig met geld maar ook op onszelf). Gebruik een tafeltje of oude babybadstandaard om de wasmand op te zetten.

ER VALT NOG VEEL MEER TE BESPAREN OP DE WAS:

=> Wast een dure wasmachine beter? Nee. Een poos geleden kwam een LG machine die nog geen 400 euro kostte goed uit de test van de Consumentenbond. Op dit moment krijgt Whirlpool Nevada 1400 het predicaat 'beste koop' (richtprijs € 430,-)

=> Het vloeibare wasmiddel Una (anderhalve liter voor € 2,65) komt als beste koop uit de laatste test van de Consumentenbond. Het kan enorm schelen als je een voordelig wasmiddel uitprobeert. De Vomar verkoopt waspoeder voor € 1,29 per kilo en wasverzachter van 30 cent per liter, dat van mij persoonlijk het predicaat 'niks mis mee' krijgt.

=> Wassen op 60 graden kost twee keer zoveel energie als wassen op 40 graden. Wassen op 90 graden kost drie keer zoveel energie als wassen op 40 graden. Stel: je draait 250 wasbeurten per jaar, waarvan 50 op 40o C en 200 op 60o C. Door voortaan 200 keer op 40o C en 50 keer op 60o C te wassen bespaar je 15 euro per jaar. Moderne wasmiddelen werken uitstekend op 40 graden.

=> Was alleen met een volle trommel. Uit onderzoek blijkt dat een derde van het aantal wasbeurten overbodig zou zijn als je alleen met een volle trommel zou wassen. Zo kun je 77 euro per jaar besparen.

Het natte wasgoed moet eerst even uitgeklopt en strakgetrokken. Als je het 'propperig' ophangt droogt het gekreukeld op en heb je meer werk met strijken. Dat kost tijd, stroom en dus geld. Als je twee lijnen dicht bij elkaar hebt is het handig om 'dubbele' kledingstukken op beide lijnen te hangen. De achterkant van broeken en sweaters vastmaken aan de ene lijn, de voorkant aan de andere. Dan drogen ze sneller. Grote dunne stukken stof, zoals lakens, kunnen juist dubbelgevouwen op één lijn, anders nemen ze teveel ruimte in. Als de waslijn volhangt en je hebt nog was over, kun je kleinere stukken met knijpers vastmaken aan wasgoed dat al aan de lijn hangt.

Was die je nog wilt strijken haal je als eerste van de lijn, wanneer hij nog niet kurkdroog is; dat strijkt makkelijker. Kom je nog even niet aan strijken toe, leg de vochtige strijkwas dan zolang op elkaar. De overige droge was kun je makkelijk gladstrijken ('strijken' met je handen) en netjes opvouwen. Bij lakens en dekbedhoezen kan dat zeker. Vervolgens onderop de stapel in de kast. Is het toch te koud of te nat? Dan kan de was ook binnen drogen.

8.6 Luizenmanagement

Als je kinderen voor de eerste keer luizen hebben weet je eerst niet waar je het zoeken moet. Griezel, gedver, waar is de gifspuit?! Of nee, ik wil een biologisch middel... Maar wat de gebruiksaanwijzingen op de neutrale flesjes ook beweren: je bent er voorlopig nog niet van af. Het gaat niet om het middel, maar om jouw doorzettingsvermogen.

Op www.youtube.com/watch?v=L1URXjca6Pg staat een goed filmpje over kammen.

1: Ga naar de (voordeel)drogist en koop een flesje Prioderm, het sterkste en goedkoopste middel. Als je je schaamt, kun je de bestelling op een briefje schrijven. Ook kun je vragen of de dosering niet te sterk is voor kinderen. Waarmee je duidelijk maakt dat het niet voor jou zelf is bedoeld, en de verkoopster dus geen stapje achteruit zet.

2: Koop een plastic stofkam, die ze 'vlooienkam' noemen. Die kost in de dierenwinkel maar één euro, bij de drogist of apotheek zijn ze vreemd genoeg veel duurder.

3: Kam alle gezinsleden met een stofkam (er zijn middeltjes waarbij de stofkam wordt meegeleverd), ontsmet de kam tussen elke beurt en behandel iedereen die ook maar één luisje op bezoek heeft volgens het voorschrift van het gekochte product.

4: Verschoon alle bedden en was de lakens voor één keer op 90° C. Was de kinderkleren en de jassen. Knuffels in een plastic zak in de diepvries.

5: Op www.ouders.nl kun je gratis een pdf met instructies downloaden.

8.7 Verbanddoos en medicijnen

Een goede verbandkoffer kost in de winkel tussen de 30 en de 200 euro. Wie zelf een goede trommel samenstelt weet beter wat er in huis is en kan veel geld besparen. Kies een goede doos of trommel, bijvoorbeeld een minikrat met deksel bij de Blokker, of heel voordelig, zo'n wit plastic mandje. Zelf maakte ik twee trommels: één voor verband en één voor medicijnen.

IN JE VERBANDTROMMEL MOET IN ELK GEVAL ZITTEN:

=> pleisters

=> betadine of ander ontsmettingsmiddel

=> pak kleine steriele gaasjes (5 x 5 cm)

=> pak grote steriele gaasjes (10 x 10 cm)

=> enkele rolletjes verband (hydrofiele zwachtels van 4 en 8 cm breed)

=> pakje watten

=> grotere zwachtels

=> snelverbanden nrs. 1, 2 en 3

=> rol hechtpleister

=> schaar(tje), liefst verbandschaar

=> pincet

=> tekenpincet

=> gifwijzer: een lijst met wat te doen bij vergiftiging, als kinderen gevaarlijke stoffen hebben gedronken, te koop bij de apotheek. Achter elke stof staat wat je moet doen (wel of niet laten braken, drinken, norit geven of niets).

Zelf vind ik ook handig:
- steriele vaselinegazen, of beta-
dinegazen, die niet aan de wond
kleven
- een cold-pack (om te koelen bij
kneuzingen). Indien niet voorhan-
den: iets uit de diepvries in een
washand doen en daarmee koelen.
- Een mitella kun je ook van een
theedoek maken (Zie ook bij noodpakket, blz. 89).

Pijnstillers

De voordeligste pijnstiller is paracetamol 500 mg. Bij Dirx of Kruidvat
kosten 20 van deze tabletten 44 cent, dat is dus 2,2 cent per tablet. Als
je dezelfde stof met een merknaam erop koopt, betaal je veel meer.
Panadol 500 mg (bevat dus gewoon 500 mg paracetamol) kost € 2,99
per 24 stuks, dus 12,45 cent per tablet. Panadol heeft ook tabletten van
1000 mg. Een beetje flauwekul, je kunt beter gewoon 2 keer 500 mg
slikken (als dat al nodig is). Panadol 1000 mg kost € 4,79 voor 10 tabletten, dat komt neer om 24 cent per 500 mg. Dat is meer dan 10 keer zo
duur als de Dirx-tabletten voor precies hetzelfde stofje.

Bij menstruatiepijn, kramp en gewrichtspijn helpen prostaglandine-
remmers zoals Ibuprofen het best. De duurste in deze soort is Aleve, 20
stuks voor € 4,95, dus bijna 25 cent per stuk. Kruidvat Ibuprofen (iden-
tieke werkzame stof) 200 mg kost voor 50 stuks € 3,85, dat is bijna 8
cent per stuk, dus meer dan drie keer goedkoper. Lees voor gebruik van
alle soorten vrij verkrijgbare medicijnen altijd de bijsluiter. Deze pijn-
stillers geven een grotere kans op maagpijn.

HOOFDSTUK 9: TUIN, BALKON EN BUITEN

Of je nu een riante tuin hebt, of een paar metertjes op een balkon:
elke vierkante meter buitenruimte is goud waard. Je kunt groente,
kruiden en bloemen kweken, regenwater opvangen, barbecueën en
zelfs vakantie vieren in je eigen tuin. Iets verder weg, buiten je
tuin kun je rozenbottels en wild fruit zoeken, kastanjes en noten.
Allemaal te geef.

9.1 Zelf tuinieren en balkonieren

Tuinieren maakt gelukkig, volgens een oud Chinees spreekwoord. Dat
zegt: 'Wil je een dag gelukkig zijn, bedrink je aan wijn. Wil je een week
gelukkig zijn, neem een vrouw. Wil je een leven lang gelukkig zijn, neem
een tuin.' Dit is waarschijnlijk lang geleden bedacht door een wijze Chinees, die zich de huidige praktijk nooit had kunnen voorstellen.
Want veel mensen hébben wel een tuin, maar hebben alle geluk weten
te bedelven onder de duur geplaveide paadjes, spiegelend natuursteen, nog net geen asfalt, buitenkeukens en tuinameublementen. Veel
tuin is er op die percelen niet meer te vinden, hooguit wat zinken kant-
en-klare bakken of een palm in een kuip.

Bij ons in de buurt woont een jong stel dat 'de tuin heeft laten doen'. Een hoveniersbedrijf sloopte alles wat oud en mooi was (de hortensia's!) eruit. Ze maakten een vijvertje en een geometrisch patroon van buxushaagjes; een beetje een paleistuin. Het is ongetwijfeld duur geweest en toch wil het maar niet romantisch worden in die tuin. Ze hebben kennelijk een onderhoudscontract, want laatst zag ik twee tuinmannen met lawaaiige motorzagen de (30 centimeter hoge) buxusplantjes snoeien. Een klusje dat je met een nagelschaartje kunt doen. Volgens mij is tuinieren of 'balkonscharrelen' pas leuk, als je zoveel mogelijk zelf doet. Lekker met je handen en je schepje in de (pot)aarde levert geluk en voldoening op.

Zelf tuinieren of balkonieren (meer geluk voor minder geld) doe je zo:

=> Zorg voor een fijne mix van gazon, terras en border. Laat je niet verleiden je tuin te betegelen met nieuw en duur natuursteen. Als je plaveisel te kort komt: overal kun je gratis tegels, keitjes, waaltjes of koppelstenen afhalen. Koester het stukje gras, als je nog gazon hebt. Het staat mooi en is fijn om op te spelen of te zitten. Streef naar bloeiende struiken en wissel stekken uit met andere tuinbezitters. Of vraag (als zij de tuin wel laten plaveien) of jij de planten mag uitgraven.

=> In het voorjaar, na IJsheiligen, kunnen vorstgevoelige planten, eenjarigen, perk- en balkonplanten weer meedoen. Ze zijn op een tray voordelig bij tuincentra, voordeelsuper en bouwmarkt.

=> Laat de kant-en-klaar opgemaakte potten en manden lekker staan, je hebt vast zelf nog leuke potten of manden die je kunt vullen.

=> Gooi potten in de herfst leeg, verzamel potgrond in een hoek van de tuin of in een grote teil op het balkon. Meng dit in het voorjaar met een zak verse grond om opnieuw te gebruiken.

=> De mooiste potten staan dan aan de straat: hun baasjes zijn er op uitgekeken of willen gewoon een nieuwe gevuld kopen. Adopteer ze, geef ze een fijne schoonmaakbeurt, vul ze met de bewaarde potaarde en wat leuke plantjes.

9.2 De minimoestuin

Voor de eerste verjaardag die ik als student op kamers vierde, vroeg ik plantenbakken voor mijn balkon. Leven zonder ook maar het kleinste stukje aarde of tuin, dat was geen optie. Na 'op kamers' volgde de woongroep - in een bovenwoning. Erachter lag een braakliggend stukje grond dat ik onmiddellijk inpikte voor een eigen moestuintje. Het leuke was dat je vanaf het balkon op het tuintje uitkeek. Althans: dat was leuk als de tuin op orde was.

Ik had negen bedjes van één vierkante meter met paadjes ertussen gemaakt. Romantisch fantaseerde ik over kruiwagens vol heerlijke voordelige biologische groente, geoogst uit de tuin waar de soorten ordelijk op rijtjes stonden. Maar in werkelijkheid werd het een aanhoudend gevecht, dat ik in de lente hoopvol was begonnen, maar dat ik in de loop van de zomer steevast verloor. De gewassen overleefden het onkruid en ongedierte ternauwernood. Naast geld voor zaden, plantjes en gereedschap kostte het steeds meer tijd om dat oerwoud onder controle te houden. Zelfs als ik arbeidsloon niet meerekende, werden mijn slakropjes en broccoli onbetaalbaar, terwijl ze onder de beesten zaten en er minnetjes uitzagen. En als er eens iets lukte had je meteen twintig porties tegelijk, vaak van een groentesoort die op dat moment toevallig ook net in de winkel in de aanbieding was. Want als het bij mij goed lukte, lukte het de tuinders zeker. Toen we in onze huidige woning kwamen wonen, was ik genezen. Ik wilde alleen nog maar gras, bloemen, druiven, bessen in de tuin en wat kruiden in de vensterbank. Dertig jaar later heb ik toch weer een moestuin, nu wel met plezier en zonder stress. Dat komt zo. Het idee komt uit Amerika en dook vorig jaar in Nederland op. De toen 14-jarige Jelle vertaalde het als 'de makkelijke moestuin' en maakte een website over zijn aanpak (zie www.makkelijkemoestuin.nl). Daar zie je hoe je zo'n tuintje (dus echt makkelijk) kunt maken.

Deze piepkleine moestuin van 9 of 16 square feet heeft alle praktische en romantische voordelen voor iedereen die graag wat eetbaars kweekt. Maar niet de nadelen: het is te overzien, niet te veel werk en je zult niet te veel tegelijk oogsten.

Elke ochtend loop ik als een tevreden boerin een rondje om mijn minuscule akkertje. Haal een paar onkruidjes, rupsen en slakjes weg, en geef zonodig water. De spruitjes die je linksonder ziet zijn prima geworden, de sla (ook onder) ook, en de courgettes (nog niet op deze foto) kan ik helemaal aanraden. De ene na de andere professionele smaakvolle biologische groene kanjer groeide in mijn minituintje.

9.3 | ♡ mijn regenton

Ooit schreef ik een stukje over mijn regenton. Die had ik als jonge twintiger, dus dertig jaar geleden, voor mijn verjaardag gekregen van familie en vrienden die hutje bij mutje hadden gelegd. De ton spaarde duur drinkwater uit en veroorzaakte een onbeschrijflijk genoegen, telkens als ik mijn gieter vulde. De ton verhuisde mee van studentenhuis naar gezinswoning. Ik had het stukje nog niet naar de redactie gemaild of er gebeurde iets ergs.

Een bezoeker gooide per ongeluk zijn fiets tegen de ton aan, en het handvat van het stuur krakte zo een stuk uit de wand. Au.

Het is heerlijk zo'n eigen voorraadje gratis tuinwater te hebben. Is een regenton niet mogelijk, denk dan aan een zogenaamde 'raintainer'. Dat zijn reservoirs die op regenpijpen van 7 tot 10 cm doorsnede gemonteerd kunnen worden, ook op het balkon. De raintainer heeft een overstort: zodra het reservoir vol is stroomt de regen weer verder door de pijp.

'Doe dat ding toch weg!' reageerde geliefde op mijn gejammer. 'Koop een nieuwe en meteen een grotere'. Woedend was ik. Wat nou nieuwe?! Oké, de kunststof van de ton was met de jaren bros geworden. In het geheel geen reden het ding waaraan ik was gehecht zomaar af te danken. Ik probeerde hem te repareren. Zocht het ontbrekende stukje en paste dat in het gat, dat gelukkig vrij hoog in de ton zat. Plakte het met zeer sterke tape aan de buitenkant vast. Het hield best aardig. Toen de ton weer vol liep sijpelde er een beetje water langs het plakband, maar

hij bleef bruikbaar. Ik zette geen nieuwe op mijn verlanglijstje. Maar ergens in de kosmos was er besloten dat het daar toch tijd voor werd. De doorgewinterde consuminderaar kent het mechanisme. Je zoekt een bepaald ding of je wenst het. Je gaat **niét** meteen naar de winkel. En dan kom je iemand tegen die het ding voor je heeft. Het valt uit de hemel of het komt naar je toe. Bij ons ging het zo.

We kwamen in het schemerduister terug van een feestje. We zagen een stapel welvaartsresten klaar staan voor het grof vuil, met in het midden een regenton. Van buiten onder de spinnenwebben, van binnen modderig. Maar in feite nieuw. Twee keer zo groot als de ton die ik had en voorzien van een metalen kraan. Het leek wel of hij stond te liften. We hebben hem dankbaar meegenomen, schoongepoetst en aangesloten.

9.4 Dagelijks cadeautje van de kippen

Mijn halve leven heb ik de droom gekoesterd dat ik nog eens in een landelijk huisje zou wonen en groente zou verbouwen met het gezellige geluid van tokkende kippen. Pas onlangs heb ik bedacht dat we daarvoor niet hoeven te verhuizen. De minimoestuin groeit en bloeit, en leverde al heel wat eetbaars. En het speelhuisje, destijds uitputtend gebruikt door onze jongens, is omgetoverd tot een kippenhok. Wat zijn kippen leuk! Echt niet alleen om op de BBQ te leggen, maar om te leren kennen als persoonlijkheidjes.

Kippen hebben een ren nodig, een slaaphok dat meestal op poten staat (zodat ze ook daaronder kunnen) en een leghok. Het was ons eerste kippenverblijf, dus het bouwen duurde even voordat we tevreden waren. Maar dat kostte vooral tijd, niet veel geld. Volgende stap: waar koop je een levende kip? We keken eens bij 'leghen' op Marktplaats. We kochten drie jonge Barnevelders, volgens de verkoper de makkelijkste kip die niet snel zenuwachtig is (een soort instapmodel dus). Dat konden we meteen uitproberen. De verhuizing (in een kratje in de auto), een nieuw hok, een ren (bij de verkoper zaten ze in een stal en kwamen ze niet buiten), een hondje dat nieuwsgierig voor het gaas heen en weer dribbelde, een nieuwe pikorde: als ik een kip was zou ik dat toch wel moeten verwerken.

De kippen zijn inderdaad niet zenuwachtig en nog slim ook. Ze snapten de bedoeling van alle hokjes direct (hier slapen op de stok, daar eieren leggen, daar schuilen voor de regen) en na een paar dagen liepen ze rond alsof ze het hok zelf gebouwd hadden. Ook hebben ze in dierenesperanto aan Bobby duidelijk gemaakt dat ze liever niet hebben dat hij te dicht bij het gaas staat. Het zijn echte hergebruikers, ze eten legkorrels aangevuld met restjes uit de keuken. Stukjes brood, groente, gekookte aardappel, rijst, fruit, eierschalen, gras; ze lusten alles. Na weekje acclimatiseren begon het feest: ze leggen elke dag een ei, dat steevast voelt als een cadeautje. Ik schrijf met potlood de datum erop, en de naam van de maakster. Bedankt meiden!

9.5 Vrolijke vakantie

Die fijne kippen zorgen ervoor dat het nóg leuker is bij ons huis en in de tuin. Op vakantie gaan wordt een stukje lastiger. Ons brave hondje kan overal mee naartoe, maar voor de andere dieren, en zo langzamerhand ook voor de tuin moeten we eigenlijk oppas hebben. Het komt dus goed uit dat ik nooit een groot verlangen had naar verre reizen. Ik begrijp het nut van vakantie überhaupt niet zo. Waarom ingewikkeld en duur ver weg in een kokende auto?

Kleine kinderen vinden het prima rond huis. Als ze groter worden moet je wel wat programma bieden in de vakantie. Wij hebben een paar keer met groot succes aan huizenruil gedaan. Mooie aanleiding om eens flink te poetsen, onze ruilpartner had hetzelfde gedaan. We beleefden prachtige weken, één keer aan zee en één keer in een boerderijtje buiten. Voor kinderen vanaf een jaar of zeven kun je kijken naar vakantiekampen. Onze jongens gingen elk jaar een weekje op een zeilkamp of een kampeerkamp. Altijd met veel buiten spelen, speurtochten, kampvuur, bonte avond en dan helemaal tevreden, moe en vervuild weer naar huis. Er zijn ook creatieve kampen met schilderen of toneel. Dan komen de ouders ook weer eens aan elkaar toe. Kijk bij ouders.nl, zoekterm 'vakantiekampen'.

Gebruik een hangerige en/of regenachtige vakantieweek zonder programma om kinderen te leren een band te plakken, een gaatje te boren, een stekker of schakelaar te monteren, boodschappen te doen, een maaltijd te koken, een aanrecht schoon achter te laten. Organiseer dus een cursus koken, wassen, huishouden, knutselen, OV-reizen of EHBO. Als kinderen warmlopen voor één van bovenstaande vaardigheden, bijvoorbeeld banden plakken, kunnen zij voor het hele gezin grote sommen besparen. Zelf hebben ze er ook levenslang voordeel bij als ze handiger worden op dit soort terreinen. Kinderen vinden het ook leuk om te kamperen in eigen tuin of op een warme nacht in de open lucht op het balkon te slapen.

Ga ook regelmatig barbecueën. Daar heb je geen grote tuin voor nodig. Ook geen buitenkeuken en zelfs geen glimmende barbecue. Wij maken de budgetBBQ gewoon zelf.

Nodig: de bakplaat en een rooster uit de oven en ongeveer 10 bakstenen. Het bakblik is de basis, je voorkomt ermee dat het vuurtje een zwarte plek maakt op de tegels. Stapel links en rechts van het bakblik een paar stenen, zodat het rooster op de stenen kan rusten. Laat kinderen wat droge houtjes en takjes zoeken. Ook leuk in de vakantie: cursus verantwoord vuurtje stoken.

9.6 Wild fruit jagen

In elk dorp en ook in de stad zijn bomen met fruit te vinden. Of het nu gaat om appeltjes (kleine rode, gele, groene), peren, pruimpjes, bessen of ander klein grut: je moet eerst als een detective gaan speuren. Dat is eigenlijk een proces van jaren. Zelf heb ik, eerst wandelend met kinderen en later met de hond, in de loop der tijd talloze boompjes en struiken gespot. En elk jaar komen er nog ontdekkingen bij.

WAT HELPT BIJ HET ZOEKEN?

=> Kijk naar de grond. Bij elke fruitboom vallen ook in een vroeg stadium exemplaren uit de boom. Zie je op de grond een vruchtje, kijk dan in de hele omgeving omhoog.

=> Let op vogels in en onder de bomen. Zijn er tien dikke kraaien druk bezig in en rond een boom, dan is dat vaak niet voor niets. Op het plaatje hiernaast zie je veel vogels. Kom je dichterbij, en kijk je omhoog, dan zie je waarom.

=> Hoe weet je of ze niet giftig zijn? Kleine pruimpjes hebben voor zover ik weet geen giftige variant. Zoek iemand die er meer van afweet. Zelf nam ik bij de pruimpjes gewoon een testhapje, waarna er schalen vol geraapt en geplukt konden worden. Het blijft natuurlijk je eigen verantwoordelijkheid.

=> Raakt het bekend in de omgeving dat je 'wel wat kunt' met fruit, dan krijg je op termijn ook emmers en manden vol aangeboden. Appels, peren, druiven: alsjeblieft! Soms zat ik aan het eind van de herfst tegen overspannenheid aan: al mijn potten gevuld, de voorraadkast vol, en dan kwamen er weer lieve mensen met een emmer. Deze mand werd door aardige buren bij de achterdeur gezet.

=> Soms zie je overvloedig fruit hangen aan een boom in een tuin. Ligt het fruit onder de boom te rotten, dan is duidelijk dat de bewoners er niets mee doen. Zelf heb ik in zo'n geval en na enig moed verzamelen wel aangebeld en gevraagd of het fruit geraapt mag in ruil voor wat jam of siroop. Dat is eigenlijk altijd goed verlopen.

Wat doe je met wild fruit? Zie voorraad-kast (blz. 139)

9.7 Noten en kastanjes zoeken

Hazelnoten

Hazelnoten zijn volop gratis te vinden. Eerst moet je weten hoe de hazelaar eruit ziet. Weet je eenmaal waar de struiken staan, dan kun je elke
herfst je voordeel doen. Karakteristiek voor de hazelaar is dat hij vele
stammetjes heeft: ze lijken als een bosje takken in de grond gezet. Ook
de grootste hazelaar bestaat uit een enorme bundel dunnere takken.
In de zomer kun je de onrijpe hazelnoten, met een rokje van blad al
zien zitten. Als ze rijp zijn vallen ze vanzelf, meestal geholpen door een
lekkere storm. Ga na zo'n storm dus met een emmertje rapen.

Je kunt meer noten tegelijk kraken door een stoeptegel op tafel te leggen, waarop je een of twee handen noten uitspreidt. Houd de noten
op hun plaats met in de ene hand een oud tennis- of badmintonracket,
dat je als een net over de noten drukt. Met een hamer in de andere
hand tik je ze achter elkaar open. Pik de noten eruit en veeg de doppen
in een schaal. De noot heeft een bruin velletje. Mij stoort dat niet. De

gepelde noten zijn langer houdbaar als je ze roostert. Spreid ze uit over
het bakblik van de oven en rooster ze een half uurtje op een laag pitje.
Als je dat bruine velletje er af wilt hebben kun je na het branden de
noten tegen elkaar wrijven en kijken of het los laat. De gebrande en af-
gekoelde noten blijven dan in een weckfles of andere goed afsluitbare
pot het hele jaar goed.

Walnoten

Een paar jaar geleden ontdekte ik 's zomers een boom, nota bene in
de straat waar we al meer dan 20 jaar wonen, met een soort groene
keiharde eieren erin. Geen pruimen, vijgen, (geur)appels, kastanjes of
peren. Maar wat wel? In de herfst bleken het walnoten te zijn. Nooit
geweten dat die groeien met zo'n dikke groene schil eromheen.

De noten die pas uit de groene schil zijn moeten drogen, bijvoorbeeld
op een krant in de buurt van de verwarming. Daarna kun je ze de hele
winter bewaren en kraken wanneer het uitkomt.

Gewone (paarden)-kastanjes kun je niet eten, tamme kastanjes wel. Zie het verschil: Links de tamme kastanje met bijbehorende schil en blad, rechts de paardenkastanje.

Kastanjes

Poffen is redelijk veel werk. Eerst snijd je met een scherp mesje een kruisje in de top van de tamme kastanje. Eén of twee kastanjes kun je dan een halve minuut in de magnetron leggen. Leuk om even te proeven. De kastanje wordt gaar, en de schil gaat bij het kruisje open.

Een grote hoeveelheid kun je beter poffen in de oven. Terwijl de oven opwarmt maak je in alle kastanjes een kruisje. Je legt de kastanjes op het ovenblik en zet de oven op 200 graden. Ongeveer 20 minuten erin laten. Ook nu gaan ze open staan. Als ze zijn afgekoeld kun je ze pellen en los opeten of in een gerecht verwerken. Ze smaken en ruiken heerlijk!

HOOFDSTUK 10: DE VOORRAADKAST OF –KELDER

In het vooroorlogse huis waar ik opgroeide zat een kelderkast onder de trap. Mijn moeder koesterde daar haar voorraad. Ooit stonden er gevulde weckflessen op een rij, later conservenblikken, pakken rijst en bonen. Een bespaarder kan niet zonder voorraad. Kom mee kijken hoe je de voorraadkast voordelig, soms gratis, kunt vullen.

10.1 Altijd in huis hebben

In het keukenhoofdstuk staat al het een en ander over de voorwaarden voor lekker en voordelig koken. Een goed gevulde voorraadkast en/of -kelder staat aan de basis. Iedereen houdt een andere voorraad aan. Zelf heb ik de volgende zaken wel altijd in huis:

PRODUCT	MERK SOORT	PRIJS €	EENHEID
Aardappels	Bintjes of Doré	1,55	5 kilo
Aardappelpuree	Frielingshof	1,09	500 gram, 4x4p
Afbakbroodjes	Landgut	0,32	300 gram 6 stuks
Appelmoes	Goeland	0,54	720 gram
Bakpoeder	Primadonna	0,35	5 zakjes
Bamikruiden	Djawa	0,29	45 gram
Beschuit	van Zoelen	0,36	rol
Bladerdeeg	Koopmans	0,89	450 gram
Bloem	Patent Bloem	0,35	1 kilo
Bloem	Volkoren	0,89	1 kilo
Bruine bonen	Goeland blik	0,53	Groot blik

PRODUCT	MERK SOORT	PRIJS €	EENHEID
Eieren	scharrel	cadeau	3 per dag.
Cornflakes	Hahne	0,64	375 gram
Gist	Koopmans	0,49	3 x 7 gram
Havermout	Super-quick	0,34	500 gram
Knakworst	Brabant	0,49	Glas, 8 stuks
Tarwe biscuit		0,37	220 gram
Koffie	Paco	0,69	250 gram
Kwark, mager		0,74	500 gram
Macaroni		0,29	500 gram
Macaronisaus	zakje	0,22	50 gram
Maïs, blik	Connaisseurs	0,42	300 gram
Mosterd	San Marco	0,49	250 gram
Olijven, zakje	Zonder pit	0,39	215 gram
Ontbijtkoek	Castello	0,49	400 gram
Penne	Primo	0,39	500 gram
Passata	Gezeefde tomaat	0,39	500 gram
Rijst	Wit snelkook	0,35	400 gram
Sardines	blikje	0,38	120 gram
Slagroom	Interlac houdbaar	0,34	200 ml
Smeerworst	Bolletje Saks	0,21	150 gram
Spaghetti	Combino	0,29	500 gram
Spinazie à la crème	Goldberg	0,36	450 gram
Thee	English breakfast	0,27	20 x 4 gram
Tomaten gepeld	Blikje Holiday	0,35	440 gram
Ui		0,59	5 kilo
Worst	gekookt	0,99	500 gram
Zilvervliesrijst	Golden Sun	0,45	400 gram
Zonnebloemolie		1,20	liter

En verder natuurlijk een royale voorraad kruiden, specerijen en smaakmakers, zoals gember, knoflook, ketjap en sambal.

10.2 De vrekkenvalkuil

Een goedgevulde voorraadkast helpt met besparen, maar heeft ook een risico. Wie de kast té vol propt en meer naar het hol sleept dan er gegeten kan worden, kan in de 'vrekkenvalkuil' terechtkomen. Dat gebeurt als een aanbieding zó voordelig is, dat je het koopt terwijl je het niet nodig hebt of dat je er teveel van koopt. Uiteindelijk moet je dan eten weggooien. Er schijnt jaarlijks voor 3,6 miljard euro aan versproducten te worden weggegooid, 350 euro per gezin per jaar. Dat wil je toch voorkomen! Daarom zes weggooipreventietips:

1: Kijk vóór het boodschappen doen altijd eerst in de voorraadkast, kelder, koelkast, diepvries en andere plaatsen waar je eten bewaart. Plan een maaltijd met dat wat er nog (teveel) in huis is. Maak dingen die niet lang meer bewaard kunnen worden als eerste op.

2: Als je alleen een vreemde combinatie van ingrediënten in huis hebt, kijk dan eens op www.smulweb.nl en typ bij de zoekfunctie de ingrediënten in. Dan kom je bij recepten die zoveel mogelijk van de opgegeven ingrediënten bevatten.

3: Je hebt genoeg in huis om een bepaalde maaltijd te koken, alleen mis je een enkel ingrediënt. Je kunt het vervangen door iets wat je wel in huis hebt, of proberen hoe het bevalt om dat ene ding weg te laten.

4: Kijk in huis goed naar de houdbaarheidsdatum van je voorraad. Te gebruiken tot' staat (verplicht) op echt bederfelijke artikelen zoals vlees. Voorzie je dat je vlees niet op tijd gaat gebruiken: maak het direct klaar. Het is dan langer te bewaren of je vriest het in. Tenminste houdbaar tot' geeft een datum aan tot welke de fabrikant de kwaliteit van het product garandeert. Dat staat bijvoorbeeld op chips, koek en conserven. Na de datum zijn ze heus niet bedorven, maar mogelijk minder smakelijk of vers.

5: Het kan gebeuren dat je er na een drukke dag tegenop ziet om ingewikkeld te koken. Dan blijven de optimistisch gekochte liflafjes liggen. Kook regelmatig voor twee keer en doe de helft in de vriezer. Zo heb je je eigen kant-en-klaarmaaltijd bij de hand. Als je voorziet dat er drukte op komst is, haal je de avond van tevoren een maaltje uit de diepvries en laat je het in de koelkast ontdooien.

6: Maak meteen een plan als je restjes in de koelkast zet. Plan een kliekjesdag of -gerecht. Een quiche is een ideaal kliekjesgerecht. Vet de bodem van een ovenschaal in en beleg de bodem met boterhammen. Daarover een vulling van groente, aardappel, champignons, rijst, of wat je maar over hebt. Gooi geen brood weg, maar rooster het, maak er tosti's van, croutons, wentelteefjes, soldaatjes, een broodschoteltje, een broodpudding, paneermeel of... een quiche.

10.3 Sap, siroop en jam

In hoofdstuk 9 las je hoe je in de zomer en herfst voordelig of gratis fruit in je bezit krijgt. Als je er langer van wilt genieten, begin dan op tijd met het verzamelen van jampotten met twist-offdeksel. Ook potten van olijven, zoetzuur en dergelijke zijn te gebruiken. Het is handig als je ze vast schoon klaar hebt staan voor het geval zich ineens een groot fruitvoordeel voordoet. Houd ook grotere potten (formaat appelmoes) altijd in voorraad.

Jam

Je hebt nodig: fruit, suiker en een pan. De pan liefst met maatverdeling, of anders ook een hittebestendig maatglas.

Weeg het schoongemaakte fruit: je hebt ongeveer net zoveel (gewone) suiker nodig. Een kilo fruit en een kilo suiker wordt ongeveer 1,5 liter jam, waarvoor je vier of vijf jampotten nodig hebt. Laat het schoongemaakte fruit kort koken en lees in de pan af hoeveel liter je hebt. Voeg dezelfde hoeveelheid suiker toe, dus een kilo bij een liter, en breng het langzaam roerend weer aan de kook. Giet de massa in brandschone jampotten (gespoeld met sodawater en daarna met kokend water, ook de deksels). De jam is heerlijk op brood maar ook door de muesli met yoghurt voor het ontbijt, of door de yoghurt of kwark bij wijze van toetje. De eenvoudigste 'aardbeienyoghurt' kost vaak het twee- of drievoudige van gewone magere yoghurt. Door dit soort zuivel zelf samen te stellen bespaar je flink.

Siroop van rozenbottel of vlier

Breng de rozenbottels met niet al te veel water aan de kook. Na ongeveer 20 minuten koken met de staafmixer pureren, met pitjes en al. Wrijf de massa beetje bij beetje door een zeef. Er blijft veel achter, zoals pitjes en vruchtvlees. Het resultaat is een stevige rozenbottelpuree. Doe deze in een pan met maatverdeling, of in een maatglas.

Voor siroop heb je nodig: één deel vruchtenpuree, één deel water en één deel suiker.

Alles weer aan de kook brengen en kort doorkoken. De siroop gieten in brandschone beugelflessen.

Ook de vlierbessen met weinig water aan de kook brengen. Kort koken en door een zeef gieten. Hierbij blijft er juist weinig in de zeef achter. Ook dit sap meten in een maatbeker.

Vliersiroop bereid je door 1 liter sap en 1 kilo suiker kort te koken. De siroop is zoet en een klein beetje bitter. Een klein scheutje ervan geeft een prachtige kleur aan yoghurt. Deze siroop is (ook in gesloten fles) niet lang te bewaren: rozenbottels gaan makkelijk spontaan gisten. Een geopende fles in de koelkast bewaren en snel opmaken.

10.4 Appels en peren vergelijken

Je krijgt een tas of emmer met appels. Maak er
meteen verse appelmoes van.

Je kookt de appels in een beetje water met
kaneel en een scheut suiker.

Hetzelfde geldt voor stoofperen. Daar kun je meer mee 'verdienen', omdat gekochte stoofperen duurder zijn dan gekochte appelmoes.

Dit heb je ervoor nodig: 1 kg stoofperen, 100 gram suiker, 2 dl water, 1 dl rode bessensap of rode wijn, een theelepel kaneel en een eetlepel maïzena.

Schil de peertjes, snijd ze in vieren en verwijder de klokhuizen. Doe ze in de pan met water, wijn, suiker en kaneel. Breng aan de kook en draai het vuur dan laag. De peren die wij hebben hoeven maar een half uur te koken. Ze moeten gaar zijn, maar nog wel stevig. Giet het vocht in een andere pan. Los de maïzena in een bekertje op met een beetje vocht. Giet de opgeloste maïzena bij het sap en breng het aan de kook, terwijl je goed roert met een garde. Het gebonden sap kan weer over de peren. Wie een lekkere volle pan zoals op de foto maakt, zou voor die hoeveelheid kant-en-klaar snel meer dan 12 euro betalen.

Je kunt je zelfgemaakte stoofpeertjes ook inmaken. Doe de peertjes in de pot, afvullen met sap dat nog niet gebonden hoeft te zijn en sluit het deksel. Korte tijd na het vullen hoor je een klik. Dan is de pot vacuüm en enige tijd houdbaar. Ik probeer ze dan wel binnen een paar weken op tafel te zetten.

10.5 Wijn maken

Van alle mogelijke soorten vruchtensap kun je wijn maken. Zelf begon ik er begin jaren tachtig mee, nadat een fles rozenbottelsiroop spontaan was gaan gisten. Sinds die tijd maak ik elke herfst tientallen liters. Je hebt dus vruchtensap nodig, dat je met behulp van een aantal toevoegingen, qua suikergehalte en zuurgraad zoveel mogelijk laat lijken op druivensap. Daarna moet het gisten. De suikers in het sap worden door de gistcellen omgezet in alcohol en koolzuurgas. Het gas moet úit de fles kunnen, zonder dat er verontreinigingen in de fles komen. Daartoe zit er een waterslot op de fles. Als het gisten klaar is, hevel je het bovenste heldere deel van de vloeistof met een slang naar een andere, kleinere fles. De droesem met fruitresten blijft achter.

VOOR JE EIGEN WIJN HEB JE NODIG:

Je begint met fruit (bijvoorbeeld rozenbottels, pruimen, druiven of vlierbes-sen). Verder enkele tienliter- of twintigliter-flessen (misschien op Markt-plaats.nl?), een paar watersloten en een hevelslang (verkrijgbaar in de wijnbenodigdhedenwinkel of overnemen van een hobbyist die ermee stopt). Ook nodig: een kleine boekje met theorie en recepten (bibliotheek, of zie www. wijnmaken.nl). Je kunt wijngist kopen, maar zelf gebruik ik gewone bak-kersgist. Laat je niet bang maken door puristen met ernstige voorschriften over schoon werken. Wijn maken is ontzettend leuk en het is helemaal niet veel werk: bij de start een paar middagen in de herfst, en later moet je nog een paar keer hevelen.

Noteer precies wat je gedaan hebt als je wijn gaat maken, hoeveel fruit, suiker en water je hebt gebruikt. Dan kun je een volgend jaar de smaak naar keuze bijstellen. Ik vind elk jaar dat mijn wijn lekkerder is dan alle voorgaande jaren.

DROGEN IN DE OVEN

Na verschillende experimenten doe ik het zo:

=> Droog zoveel mogelijk fruit tegelijk.

=> Maak het fruit schoon en ontpit het.

=> Leg een dubbele laag kranten op het bakblik.

=> Leg het fruit met de meest vochtige kant naar boven.

=> Zoek een warme plek waar de lucht goed circuleert.

10.6 Fruit drogen en muesli

Als je een wat grotere hoeveelheid fruit tegen het lijf loopt - een boompje hebt of vindt, of je krijgt een emmer of kist fruit aangeboden - ga je al snel nadenken over meerdere toepassingen. Je kunt fruit ook drogen. Mijn ervaring is dat de wat drogere fruitsoorten daarvoor het meest geschikt zijn. De rode en de gele pruimpjes die ik in de buurt vind laten zich makkelijk drogen. Ook bananen die supervoordelig waren heb ik wel eens gedroogd.

Ooit heb ik schijven appel aan een draad geregen en in de zon gehangen, maar dat werd een mislukking. Het zag er wel romantisch uit maar het drogen duurde eindeloos, en de gedroogde appelschijven waren nauwelijks houdbaar.

Tegenwoordig zet ik de bakplaten bij het drogen in de oven op de allerlaagste stand (ongeveer 30 graden, handwarm). Bij onze oven kun je kiezen voor hete lucht en dat is ideaal. De oven blijft op een kier, door een pollepel tussen het deurtje te doen. Verplaats de fruitstukjes af en toe, zodat ze niet aan de onderlaag gaan kleven. Gedroogde pruimen kosten bij de Super € 1,99 voor 250 gram. Abrikozen idem.

Muesli

Heb je gedroogd fruit en noten? Die kunnen gebruikt worden voor zelf-gemengde muesli. Muesli en cruesli zijn te koop in verschillende prijs-klassen. De duurste kosten bijna een tientje per kilo. De goedkoopste van Van Zoelen kost € 0,93 voor een kilo, bevat gewone havervlokken en weinig rozijntjes. Dat kunnen we zelf beter.

EIGEN MUESLI

De basis is een pak Hahne-havernout (€ 0,34 voor een pond, dus € 0,68 per kilo). In elk geval ongeveer 20 gram rozijnen toevoegen (€ 0,62 per 500 gram bij Albert Heijn) en wat je in de herfst als een eekhoorntje hebt weten te verzamelen. Op de foto zijn gedroogd fruit, walnoten, hazelnoten en cornflakes te zien. De hiermee gemaakte rijke muesli kost ongeveer € 0,70 per kilo. Je maakt er een heerlijk gezond en voedzaam ontbijtje mee.

10.7 Pesto

Als je véél hebt van gratis gezonde, lekkere zaken, dan verzin je steeds meer toepassingen. Zo kwam ik op pesto om onze voorraad walnoten er doorheen te jagen. Het lukte heel goed. Pesto wordt normaal gemaakt van basilicum en pijnboompitten, maar het kan ook van alternatieve ingrediënten. Je gebruikt in elk geval
- wat groens (basilicum, vogelmuur, zevenblad, rucola of...)
- iets nootachtigs (pijnboompitten of walnoten of...)
- olie (olijfolie, walnotenolie of andere)
- zout

Op de foto zie je de vijzel die er verdacht schoon uit ziet. Klopt, ik heb alles met de staafmixer tot een ragfijne pasta gemaakt. Ziet er prachtig professioneel groen-smeuïg uit. Ik denk dat je het niet lang kunt of moet bewaren. Maar dat gaat toch niet lukken: de pesto is té lekker.

NAWOORD

Goed omgaan met geld heeft eigenlijk weinig te maken met geld, en alles met levenskunst. Wat heb je nodig om je altijd te kunnen redden?
- Overzicht over inkomsten en uitgaven
- Inzicht in je eigen prioriteiten
- Kunnen genieten van en tevreden zijn met kleine dingen
- Zaken creatief en optimistisch aanpakken
- Inspiratie

Het is mijn ervaring dat je vooral gevoed moet worden, met ideeën, tips en handigheidjes. Houd daarom contact met andere vrolijke bespaarders. Fysiek of via weblogs, websites, (zoals ik er vele genoemd heb), Twitter (volg bijvoorbeeld @Erica Verdegaal en @Mariekebespaart). Lees ook inspirerende boeken. Heb je aanvullingen of vragen? Stuur een mail naar marieke@AD.nl of via www.mariekehenselmans.nl. Je krijgt altijd snel antwoord. Succes!

Marieke Henselmans, maart 2012

GOED OM TE LEZEN

Bode, Emily, *De Dikke Bode*, Reality Bites Publishing, 2010

Dijkman, Anna en Zadeh, Chris, *Psychologeld*, Maven Publishing, 2011

Genoeg Magazine, www.genoeg.nl

Grün, Anselm, Woudenberg, Mariëtte e.a., *Gelukkig met minder geld*, Boekencentrum, 2009

Jacobs, Els, *Aan de slag met de HuishoudCoach*, Forte, 2008

Kolk, Sjoukje van der, *Versimpel je leven*, Forte, 2012

Luijk, Teunie, *Dat doen we zelf wel*, Banier, 2010

Nasish, John, *Genoeg, meer geluk met minder*, Bruna, 2008

Schönburg, A. von, *De kunst van het besparen*, Contact, 2009

Verdegaal, Erica en Hiele, A., *Samen rijk worden*, De Bezige Bij, 2009

Veen, Hanneke van en Eeden, Rob van, *Sparen voor later en nu*, Spectrum, 2010

TREFWOORDENREGISTER

VROLIJK BESPAREN

Over Marieke Henselmans

Rondkomen gaat niet alleen over inkomen en uitgaven. Waarom geven mensen (ongemerkt) zo veel uit? Wat zijn de misverstanden over besparen? Marieke Henselmans geeft over dit onderwerp veel workshops en lezingen bij bibliotheken, banken, bedrijven en allerlei soorten (financiële) instellingen. Zij inspireert met haar creativiteit, opgewektheid en humor. Waarom denken mensen dat besparen nooit leuk is? Klopt het dat kleine besparingen niks helpen? Is goedkoop duurkoop? Is gezond eten duur? Moeten kinderen het beste hebben of het duurste? Haar lezingen zijn steeds praktisch gericht en bevatten een mix van nuttige informatie, inspiratie en humor.

Informatie en contact via **www.Mariekehenselmans.nl** of direct via **marieke@AD.nl**

Toen mijn eerste boek, Consuminderen met kinderen, uitkwam, zaten onze jongens nog op de basisschool. Op lezingen vragen mensen vaak: 'Hoe is het nu met ze?' 'Hebben ze geen hekel gekregen aan je, vanwege al dat consuminderen?' 'Hoe kijken ze terug op hun kindertijd?' Ik heb het voor dit boek maar eens aan henzelf gevraagd.

Joep (1986): 'Hoewel we misschien 'zuinig' zijn opgevoed, is er niet bezuinigd op dingen die belangrijk voor ons waren. Dus zodra duidelijk werd dat skaten dé sport was, werden de tweedehands skates vervangen door steeds betere en ook steeds durdere. Door goed bij te houden wat mijn inkomsten zijn en vooruit te kijken naar te verwachten uitgaven maak ik alle belangrijke dingen mogelijk, of het nou gaat om nieuwe skates, een digitale spiegelreflexcamera of het huis dat ik op m'n 23ste heb gekocht. Door goede planning heb ik nooit het gevoel te weinig geld te hebben, maar heb ik altijd precies genoeg.'

Daan (1989): 'De meeste mooie dingen in het leven kosten eigenlijk nauwelijks geld. Ik kan erg ge- nieten van toneel- en pianospelen, oude boeken, koken, en backpacken in andere landen. Door de constante bespaarlust van mijn moeder hoef- den mijn ouders minder te werken. Ze konden daardoor meer tijd met ons besteden, en hielden geld over om een dure studie voor me te betalen. Ik doe nu een master op Malta, tussen de ba- rokarchitectuur en mooie mediterrane dames, en kan me niet voorstellen hoe het beter met me zou kunnen gaan.'

Gijs (1991): 'Ik heb vrijwel geen nadelen gemerkt van mijn moeders levensstijl. Behalve dat ik als kind van 7 ja- loers was op vriendjes die meer snoep, chips en fris- drank in huis hadden. Ik heb meer voordelen gemerkt: mijn hele leven heb ik me niet hoeven druk maken om geld. Niet dat ik het over de balk smijt. Maar als er een noodgeval was wist ik dat ze voor ons gespaard had. Ze beloofde onze rijlessen te betalen als we niet zouden roken en brommer rijden. Daar heeft ze zich aan gehouden bij alle drie.

159

MEER LEZEN VAN MARIEKE HENSELMANS

Je kunt de boeken vinden in boekwinkel
of op www.bespaarboeken.nl

Consuminderen met kinderen

Kinderen duur? Welnee. Dat hangt helemaal van jezelf af. Er is bijvoorbeeld een groot verschil tussen alles nieuw kopen en het op een andere manier op de kop tikken. In dit boek kun je lezen hoe je dat aanpakt: van babyuitzet tot dure skates. Onder bespaarders is dit boek inmiddels een klassieker geworden.

Goed met geld, hoe financiële opvoeding loont
i.s.m. Erica Verdegaal en het Nibud

De hele commerciële wereld staat klaar om je kind welkom te heten: koop bij ons! Van snoep op kinderooghoogte in de supermarkt tot smartphones, games, minikredietjes en grote leningen. Het ene kind wil sparen, het andere vooral spenden. Wie maakt ze wegwijs op de lange weg tussen kleuterklas en consumptief krediet? Het Nibud draagt samen met Erica Verdegaal en Marieke Henselmans informatie en inspiratie aan.

Besparen maar!

Het maakt niet uit wanneer je begint te besparen. Elk jaar biedt kansen op een voordelig voorjaar, een zuinige zomer, een heerlijke herfst en een winter(bespaar)sport. Dat zijn de vier delen van dit boek. Ook bespaartips over feestdagen die in het seizoen vallen, van Pasen tot Pinksteren, van Koninginnedag tot Kerstmis.